COLLECTION

PRESSES HEC

DIRIGÉE PAR
MARIE-ÉVA DE VILLERS

Artistes, artisans et technocrates dans nos organisations

Rêves, réalités et illusions du leadership

Artistes, artisans et technocrates dans nos organisations

Rêves, réalités et illusions du leadership

Patricia Pitcher

Traduit de l'anglais par Jean-Pierre Fournier

425, RUE SAINT-JEAN-BAPTISTE, MONTRÉAL (QUÉBEC) H2Y 2Z7
TÉLÉPHONE : (514) 393-1450 • TÉLÉCOPIEUR : (514) 866-2430

Données de catalogage avant publication (Canada)

Pitcher, Patricia C.
Artistes, artisans et technocrates dans nos organisations

2e éd. enrichie
(Collectin Presses HEC)
Comprend des réf. bibliogr.
Traduction de : Artists, craftsmen, and technocrats.

ISBN 2-89037-911-6
1. Leadership. 2. Gestion d'entreprise. 3. Chefs de direction. I. Titre.

HD57.7P5714 1997 658.4'092 C97-940259-X

LES ÉDITIONS QUÉBEC/AMÉRIQUE BÉNÉFICIENT DU PROGRAMME
DE SUBVENTION GLOBALE DU CONSEIL DES ARTS DU CANADA.

CET OUVRAGE EST LE NEUVIÈME À PARAÎTRE
DANS LA COLLECTION PRESSES HEC DES ÉDITIONS QUÉBEC/AMÉRIQUE.

MONTAGE : PAGEXPRESS
GRAPHIQUES : JEAN LOUIS MARTIN,

DÉPÔT LÉGAL : 2e TRIMESTRE 1997
BIBLIOTHÈQUE NATIONALE DU QUÉBEC
BIBLIOTHÈQUE NATIONALE DU CANADA

ISBN : 2-89037-765-2 (1re édition, 1994)
ISBN : 2-89037-911-6 (2e édition, 1997)

Préface

J'ai eu le plaisir de superviser cette œuvre dans sa forme originale – une thèse de doctorat. Alors, je suis tout à fait partial; je sais que cette œuvre est capitale, écrite avec un raffinement et une élégance qui ne sont pas communs dans la littérature de gestion. Si le message qu'elle renferme peut être pris à cœur par les gens qui occupent des postes de commande, nos entreprises seront transformées de fond en comble et deviendront plus efficaces, selon moi.

Le leader doit être l'un ou l'autre: ou bien un visionnaire et un véritable stratège – alors il peut faire ce que bon lui semble et s'en tirer; ou bien un vrai «facilitateur», qui permet aux autres de se mettre en valeur. Les gestionnaires qui ne sont ni l'un ni l'autre peuvent être fatals à des entreprises en mal d'énergie et de changement. Dans ce livre, Pat appelle les premiers des artistes; les deuxièmes des artisans et les troisièmes des technocrates. Elle montre, par l'analyse fouillée et lucide d'une grande institution financière, comment les technocrates ont détruit ce qu'avaient bâti les artistes et préservé les artisans.

Nous devons comprendre ces différents styles de gestion et l'effet qu'ils peuvent exercer sur l'entreprise. Quiconque se préoccupe de ce qui se passe dans les entreprises et les autres institutions du monde occidental a intérêt à lire et à conserver cet ouvrage.

Henry Mintzberg

Avant-propos

« Vous êtes Pat Johnston, n'est-ce pas ? » m'a récemment demandé un journaliste. « Oui », ai-je répondu. « Vous pétiez le feu dans le temps ! » Je pétais le feu, en effet. Sa remarque a éveillé chez moi un drôle de mélange d'émotions : fierté, étonnement, tristesse, et une certaine gêne. De 1973 à 1983, j'ai milité aux quatre vents : « socialiste » avec Stephen Lewis et le Nouveau Parti démocratique (NPD), puis « capitaliste » à la Bourse de Toronto ; ardente « nationaliste » avec Walter Gordon et le défunt Canadian Institute for Economic Policy, et enfin porte-parole de la petite et moyenne entreprise. C'est à ce titre surtout que j'ai acquis la réputation de « péter le feu ». Soudain, au faîte de la « gloire », sollicitée de part et d'autre par le chant des sirènes de l'argent et du prestige, j'ai tout laissé tomber. J'ai abandonné la partie. Toute œuvre scientifique, artistique ou littéraire est autobiographique, que l'auteur le veuille ou non ; ce livre et la recherche sur laquelle il se fonde ne font pas exception.

John Maynard Keynes a un jour dit avec un brin de piquant que « les hommes pratiques, qui se croient à l'abri des influences intellectuelles, sont d'ordinaire *esclaves* de quelque économiste défunt ». Paroles prophétiques. Beaucoup ont été ses esclaves avant que nous ne devenions les esclaves de Friedman. Mon expérience me dit que nous devenons facilement les esclaves de toutes sortes d'idéologies. Au cours de mes années de militantisme, j'ai constaté que le réel, l'évident, l'urgent, le vrai sont d'habitude liés, bâillonnés et sacrifiés sur l'autel d'une théorie ou d'une autre. J'ai encore en mémoire cet économiste qui, à l'annonce du krach boursier de 1987, s'est exclamé : « Je sais, mais est-ce théoriquement possible ? Voilà la vraie question. » Tous – y compris moi-même, d'où la gêne

– nous nous gargarisions de théories et le bruit était assourdissant. Si bien que le sage Joe Clark n'a pas réussi à se faire entendre. Lorsque, premier ministre, il a parlé du Canada comme d'une « communauté de communautés », par exemple, c'était trop réel, trop vrai. Et trop peu « astucieux ». Nous lui avons préféré les intellectualisations arides et apparemment objectives de Pierre Elliott Trudeau, ses « brillantes » théories centralisatrices. Pourquoi préférons-nous l'éclat à la sagesse ? Les idéologues du centralisme engendrent les idéologues du séparatisme. Pierre Elliott Trudeau est directement responsable de la victoire de Lucien Bouchard, même s'il propose maintenant de le combattre. Non, merci. Les idéologues du secteur public créent les idéologues de l'économie de marché, et inversement : les excès de l'extrême droite ont conduit aux excès de la gauche libérale et sociale-démocrate, qui ont donné naissance à Margaret Thatcher, Ronald Reagan et Brian Mulroney – et la « gauche » prétend aujourd'hui être en colère ? L'idéologie du « big business » engendre l'idéologie du « small business », et ainsi de suite, jusqu'à l'infini. Le bon sens, qui a fort mauvaise réputation depuis qu'il a un jour eu la maladresse de croire que la terre était plate, est coincé au centre. Tout me semblait si futile et si déprimant. Ou il y avait une vérité plus profonde ou j'étais folle. Il fallait que je quitte cette ronde infernale. « Pat, me suis-je dit, vite, au couvent ! » Je suis entrée à McGill. Ce livre est le résultat de mes dix ans de traversée du désert.

Montréal, septembre 1994.

Table des matières

Introduction

D'un sac à charbon ne saurait sortir blanche farine

> *Plus encore, je regrette de ne pouvoir communiquer le sens de l'organisation, la sensation dramatique et esthétique indicible que procure l'expérience intime d'un intérêt mû par l'habitude. Il est évident qu'on manque souvent d'intérêt pour la science de l'organisation parce qu'on n'en perçoit pas les éléments significatifs. La structure de la symphonie, l'art de sa composition et l'adresse de son exécution nous échappent parce qu'on ne peut pas en distinguer les tons.*
>
> Chester Barnard,
> *The Functions of the Executive*

Du dessin par numéros

Cet ouvrage et les huit années de recherche sur lesquelles il s'appuie sont comme toute œuvre du même genre : le fruit d'une odyssée personnelle. Comme la plupart des praticiens, je n'avais pas la moindre idée de ce que disaient les universitaires de la gestion. Lorsque j'en ai pris connaissance pour la première fois en 1986, au début de mes études de doctorat, j'ai eu un choc. Je n'y ai certes pas trouvé le « ton » de l'organisation. Sauf à de rares exceptions, fort bienvenues, le *monde réel* n'existait pas dans la littérature de gestion. Il y avait des recettes, des théories à la pelle, des systèmes, des fonctions, des rôles, mais pas de passion, de joie, de triomphe, d'envie, de convoitise, de cupidité ni d'avarice, de lâcheté ou de rêve. La matière que j'étudiais n'avait aucun rapport avec ce que j'avais vu et vécu dans le « monde réel ». Elle semblait réduire le leadership à une tâche que n'importe qui pouvait apprendre et la gestion à une sorte de dessin par numéros : suivez le pointillé – de la réingénierie, de la gestion participative, par exemple – et vous aurez un joli tableau. Dites ça à Picasso et à Van Gogh, pensais-je. Dites-le à Proust, à Dostoïevski et à D. H. Lawrence. Dites-le à Abraham Lincoln, Winston Churchill et Charles de Gaulle. Ou à Bill Gates, Edwin Land, Stephen Jobs, Carlo de Benedetti. Ça ne passera pas. C'est faux. La métaphore du dessin par numéros m'a guidée dans ma longue recherche de l'art authentique et des véritables artistes de la gestion.

En voyage, on fait des découvertes. J'ai trouvé les artistes que je cherchais, et aussi ceux qui les accompagnent et font route avec eux, les artisans. Puis, j'ai trouvé leurs contraires, leurs ennemis, les technocrates : ceux qui tendent *à faire prévaloir les conceptions techniques d'un problème au détriment des conséquences sociales et humaines*[1]. Je dis « ennemis » à dessein. Nous déplorons l'absence aujourd'hui de grands leaders. Les grands leaders ont toujours été et seront toujours rares. C'est la crème qui remonte à la surface avant que le lait et les hommes ne soient « homogénéisés ». Pourtant, comme j'espère le démontrer dans cet ouvrage, ils sont plus nombreux qu'il n'y paraît à première vue et la crème n'est pas la seule substance qui tende à surnager. Les vrais leaders ont de puissants ennemis. C'est la guerre dans le monde réel – il n'y a pas de place pour les timorés et les bons ne l'emportent pas toujours.

1. *Nouveau Petit Robert*, Paris, Le Robert, 1993, p. 2218.

Il est extrêmement important de comprendre cette guerre. Depuis que la « discipline » de la gestion a forcé la porte des universités, à la grande consternation de bien des érudits d'hier et d'aujourd'hui, elle est de plus en plus respectable. Si la gestion est une « science », alors partout où s'impose la gestion, la science de la gestion s'impose aussi. C'est ainsi que Michel Rocard a récemment pu dire, le plus sérieusement du monde : « On ne gère jamais assez[2] ». En Amérique du Nord (pour des raisons que nous examinerons plus tard, l'Europe et le Japon me semblent en partie immunisés), nous avons introduit la science de la gestion au gouvernement et dans les entreprises, les organismes, les écoles et les hôpitaux. Je ne nie pas qu'il y ait dans la gestion des disciplines qui relèvent de la science formelle, comme les finances, la comptabilité et même le marketing, mais l'administration générale n'est pas de celles-là. C'est une erreur capitale de transposer dans le secteur public les principes de la gestion d'entreprise que nous croyons avoir définis. Penser, comme certains, que les techniques modernes de gestion dispensent de l'inspiration, de l'intuition, du jugement et d'une sélection minutieuse du personnel n'est pas seulement dangereux pour l'entreprise, la compétitivité et la prospérité économique d'un pays, mais également pour l'ensemble de nos sociétés. Il faut rétablir un peu de vérité.

Bien sûr, il y a toutes sortes de vérités – littéraire, spirituelle et religieuse, scientifique, sociologique – et personne ne peut prétendre détenir la Vérité. La vérité exprimée dans cet ouvrage est une parcelle de la vérité – une vérité partielle. Je décris et analyse divers personnages en interaction dans une structure et je décris cette interaction à partir de différents types de personnalité : l'artiste, l'artisan et le technocrate.

---

2. Alain-Gérard Slama, *L'Angélisme exterminateur*, Paris, Grasset, 1993, p. 194.

J'ai vite constaté que la « gestion » semble vouloir supprimer le caractère et segmenter l'homme en morceaux : les yeux qui « voient », la main qui « exécute », la tête qui « pense » (oubliant de façon opportune le cœur qui « sent »). Après avoir découpé l'homme, elle prépare des recettes pour chaque morceau : elle nous enseigne à mieux « voir », à mieux « penser », à mieux « sentir » et nous comporter, à être « agréables » et même, pourquoi pas, à avoir de la « vision ». Or, la main, la tête et le cœur forment un tout et l'ensemble s'appelle caractère. Il est irréaliste de penser qu'on puisse enseigner à un homme au cœur de pierre d'être agréable et d'avoir de la vision. Du moins pas au cours d'une seule vie et encore moins dans un cours de gestion. Si nous voulons aujourd'hui des cadres à l'esprit ouvert, nous devrons choisir ceux qui le sont ; jadis, cela allait de soi.

L'objectif de cet ouvrage est de combattre trois idées reçues intimement imbriquées.

La première idée reçue est que nous aurions besoin d'un type de leader qui soit un visionnaire charismatique. La deuxième, beaucoup plus perverse, est que tout un chacun pourrait le devenir. Et la troisième voudrait que si l'on disait aux leaders ce qu'ils doivent faire, ils le feraient tous.

Première idée reçue. George Washington était-il un visionnaire charismatique ou était-il tout simplement l'homme sage et intègre dont l'Amérique avait besoin à ce moment précis de son histoire ? Winston Churchill était un visionnaire charismatique et il était sans doute le seul homme qui pouvait sauver la Grande-Bretagne pendant la guerre. Il était aussi d'humeur changeante, autocratique, buté et parfois totalement dans l'erreur. Le leadership concerne essentiellement l'interaction entre un leader, un moment et un contexte.

Deuxième idée reçue. Si nous avions inscrit le prudent George Washington à des séminaires sur le leadership, serait-il devenu visionnaire ? Et si nous avions tenté de l'initier à la

« pensée latérale », cela aurait-il marché ? Winston Churchill aurait-il pu apprendre le calme et la mesure au lieu d'être impulsif et dictatorial ? Même si nous pouvions former des êtres à devenir ce qu'ils ne sont pas, pour sauver ma vie je ne vois pas de raisons pour lesquelles quiconque souhaiterait changer un sage en visionnaire ou vice versa. Le leadership, c'est justement tout l'art de permettre à des sages et à des visionnaires de travailler ensemble.

Troisième idée reçue. Nous prétendons que nous ne voulons que des leaders qui « écoutent » les autres. Si Winston Churchill, Charles de Gaulle et Franklin Roosevelt avaient « écouté », les alliés auraient perdu la guerre. Les leaders qui écoutent ne sont généralement pas ceux qui inspirent. Dans une certaine mesure, ils inspirent parce qu'ils n'écoutent pas. Ils poursuivent leurs rêves. Vous auriez probablement réussi à faire admettre à Churchill qu'il aurait dû écouter les autres, mais cela ne veut pas dire qu'il aurait pu le faire. Vous pouvez inculquer aux individus le vocabulaire du leadership, mais cette connaissance du vocabulaire ne garantit absolument pas qu'au pied du mur ils soient en mesure d'accorder leurs comportements aux mots. Ils ne peuvent passer de la parole aux actes. Il existe un groupe de leaders qui ont à leur disposition tout le vocabulaire de l'imagination de l'écoute, mais qu'aucun séminaire au monde ne pourra transformer en sages ou en visionnaires.

Ils sont rigides et dogmatiques, froids et calculateurs et ils n'écoutent personne. Le leadership consiste à les mettre à leur place.

L'art comme révélation

Afin de comprendre l'art du leadership, j'ai dû explorer la philosophie et la psychologie de l'art.

Si ce qui constitue l'« art » est très contesté, il y a cependant un large consensus à propos de sa finalité et des œuvres d'art elles-mêmes. L'esthéticien britannique Sir Herbert Read soutient que l'art nous a toujours fait découvrir de nouveaux horizons :

> *L'art, dans la mesure où il conserve sa fonction et ne devient pas une affaire de pâtissier, a toujours été un tel mode de révélation, d'établissement, de désignation*[3].

L'artiste, dit-on, est l'explorateur de l'humanité et « le progrès tâtonnant de l'explorateur est une bien plus haute réalisation que le parcours du voyageur bien documenté[4] ». Sa tâche est d'épater la bourgeoisie, de repousser les limites de la connaissance précodifiée, de conduire l'homme vers l'avenir. L'art, a dit le peintre anglais Constable, devrait être perçu comme une branche de la science : il enquête et raisonne, il crée des symboles qui facilitent la pensée :

> *... le symbole sert à articuler les idées sur lesquelles nous voulons réfléchir; sans symbolisme congru, nous ne pouvons y réfléchir*[5].

La langue offre un système de symboles pour la logique discursive, mais Langer nous dit qu'il existe de vastes champs d'expérience que les philosophes jugent « ineffables », c'est-à-dire qui ne peuvent être exprimés par des paroles. L'art est le mode d'expression des pensées ineffables. Ainsi, Robert Motherwell peut-il dire : « Ma vie durant, j'ai travaillé sur la même œuvre, chaque toile en constituant une phrase ou un paragraphe. » Et Isadora Duncan : « Si je savais le dire, je n'aurais pas à le danser[6]. » Gombrich, éminent historien d'art, propose une métaphore :

---

3. Herbert Read, *The Origins of Form in Art*, New York, Horizon Press, 1965, p. 88.
4. Michael Polanyi, *Personal Knowledge*, Chicago, University of Chicago Press, 1958, p. 18.
5. S. K. Langer, *Feeling and Form*, New York, Scribner's, 1953, p. 28.
6. Cité dans W. O'Flaherty, *Dreams, Illusions and Other Realities*, Chicago, University of Chicago Press, 1984, p. 8.

> *L'histoire de l'art, telle que nous l'avons interprétée jusqu'ici, peut être décrite comme la recherche de passe-partout pour ouvrir les serrures mystérieuses de nos sens dont la nature seule possède la clé. Ce sont des serrures complexes... comme le cambrioleur qui tente de percer un coffre-fort, l'artiste n'a pas accès au mécanisme interne. Il ne peut que sonder avec ses doigts sensibles, explorer et ajuster son crochet ou son fil si quelque chose cède. Évidemment, une fois la porte ouverte, une fois la clé trouvée, il est facile de reproduire l'exploit. Le suivant n'a pas besoin de don particulier*[7].

« Le suivant n'a pas besoin de don particulier » – il peut perfectionner ou adapter la technique, comme l'artisan. Ou il peut la calquer, comme le technicien. Les grands artistes ont toujours une foule d'imitateurs, de maniéristes. Combien de pseudo-Monet n'avons-nous pas vus dans nos foires locales d'artisanat et de pseudo-leaders dans nos organisations ?

La tâche de l'artiste véritable n'est pas toujours facile. Les grands s'y usent souvent très jeunes, comme Gauguin ou Rimbaud. Les tentatives de trouver la clé et de révéler le trésor peuvent aboutir au désenchantement, voire au désespoir. Giacometti détruit ses sculptures aussitôt achevées parce qu'elles le déçoivent. Elles ne sont pas à la hauteur de leur promesse[8].

La perception artistique

L'art se situe entre « le chaos et le cliché », écrit Sparshott ; mais aussi :

> *L'activité artistique commence quand l'homme, se débattant avec la masse informe du visible qui l'accable, lui*

7. E. Gombrich, *Art and Illusion*, Princeton, Princeton University Press, 1961, p. 359 et 360.
8. Dans Jean-Paul Sartre, *L'Existentialisme est un humanisme*, Paris, Nagel, 1970.

donne une forme créative... L'artiste vrai n'accepte pas ce chaos phénoménal[9].

Le panorama social et économique d'aujourd'hui ne nous apparaît-il pas comme une « masse informe » ? Nous avons besoin d'artistes pour lui donner un sens. Les esthéticiens ont cherché l'explication de l'art dans la perception des artistes. Pour une raison quelconque, l'artiste passe pour être plus sensible au monde, à ses subtilités, plus enclin à distinguer le chaos où d'autres voient de l'ordre.

La qualité onirique de l'art n'est nulle part aussi évidente que dans le surréalisme moderne. L'écriture automatique de Proust et de James Joyce, les tableaux de Marc Chagall (p. 21) reflètent non seulement la fugacité de la réalité onirique, mais aussi l'étrangeté de ses formes et de ses images. Le temps, l'espace et le concept perdent leur pouvoir impérieux sur la forme et la substance. Nos façons classiques, normales, quotidiennes de voir les choses sont bouleversées.

Selon Warren Bennis, l'une des caractéristiques des leaders transformationnels est leur faculté de « désapprendre ». L'art semble embrasser à la fois la destruction et la création : destruction des formes anciennes, des anciennes Gestalt au profit des nouvelles.

Comme dit Barron, « la structure du monde doit être brisée, puis dépassée[10] ». Certains artistes semblent avoir compris cette dialectique fondamentale, comme Picasso et Schiller :

Ainsi, un artiste aussi doué que Picasso confesse qu'« un tableau progresse jusqu'à son achèvement par une série de

---

9. Fiedler dans F. Sparshott, *The Theory of the Arts*, New Jersey, Princeton University Press, 1981, p. 626.
10. F. Barron, « Creative Writers », dans R.S. Albert, éd., *Genius and Eminence*, New York, Pergamon Press, 1983, p. 309.

Marc Chagall, *I and the Village*, 1911. Huile sur toile (192,1 cm x 151,4 cm). The Museum of Modern Art, New York.

destructions». Et le poète Schiller a écrit: «Ce qui s'immortalisera dans le chant, doit périr de son vivant[11]*».*

Dire que la structure quotidienne du monde doit être rompue au profit d'un monde d'images oniriques ne signifie pas que l'art n'est qu'un rêve ou une fantaisie, un pur produit de l'inconscient. La conscience gouverne la création, mais elle semble agir sur un fragment, une allusion, un présage; elle n'est pas donnée. Pour cette raison, l'acte de création est bien davantage que la pure transcription d'une image mentale; il exige du travail, souvent de l'angoisse.

Le philosophe Merleau-Ponty suggère qu'en raison de la nature fragmentaire et inarticulée de la vision, nous ne savons jamais d'avance si une vision artistique sera « utile » ou non. Il nous faut voir le produit fini :

> *L'acte d'expression artistique n'est d'abord qu'une vague fièvre. L'œuvre, achevée et comprise, est la seule preuve qu'il y avait quelque chose et non rien à dire*[12].

Nous verrons que les vrais leaders ont aussi de la difficulté à défendre leur vision.

Puisque la démarche artistique est une tentative de construire un nouveau foyer intellectuel, un nouvel ordre adapté aux facultés grandissantes de l'homme, elle doit rompre avec le passé et dégager de nouvelles formes du chaos. Cela exige de la confiance et du temps, ingrédients rares de nos jours.

Je commençais enfin à entrevoir la lumière. La vision est la monnaie du grand art et du grand leadership. Les artistes et les leaders, comme les grands savants du reste, sont forcés de rompre avec les conventions. Mais j'avais besoin d'en savoir davantage sur la façon dont les artistes font leur

---

11. Dans J. Schnier, « The Function and Origin of Form », dans *Journal of Aesthetics and Art Criticism*, 1957-1958, p. 69.
12. Dans Sparshott, *op. cit.*, p. 623.

travail – et sur leurs caractères. « Celui qui frappe à la porte de la poésie sans la folie des Muses, persuadé que la technique en fera un bon poète, ne va nulle part, dit Platon ; la poésie de l'homme maître de soi est réduite à néant par celle du fou[13]. » Je savais déjà qu'il ne suffisait pas de maîtriser les techniques de la gestion moderne pour être un grand gestionnaire. Mais est-ce à dire que les grands artistes et les leaders visionnaires sont tous fous ?

Eh bien non ! pas exactement. Ils sont « anormaux » dans le sens où une personne de 2 m 15 est anormale. C'est dans le domaine émotif qu'ils se distinguent des autres. Ce sont des anticonformistes, ils aiment plus que les autres la complexité et le désordre et réussissent beaucoup mieux les tests d'intuition. Ils sont très enclins à la dépression, d'une part, ou à l'hyperthymie – son revers –, d'autre part ; ou à une combinaison cyclique des deux – la cyclothymie. Lord Brain nous dit de Charles Dickens :

> *J'ai déjà laissé entendre que Charles Dickens était cyclothymique. Son humeur dominante était l'exultation. Il en tirait une énergie et un enthousiasme énormes qui, outre son prolifique esprit d'invention, aboutissaient à de longues promenades, des fêtes et des séances de théâtre amateur.*
>
> *Sir Henry Dickens parle des « périodes de profonde dépression, d'extrême irascibilité, de mutisme et d'oppression» de son père. Dickens lui-même [a écrit] : «Je suis malade, pris d'étourdissement et capricieusement déprimé... Je passe de mauvaises nuits, je suis plein d'inquiétude et d'angoisse... mon extrême tristesse en ce moment même est inconcevable.»*

Je soupçonnais que les vrais leaders étaient enclins au découragement et à la dépression ; certains de ceux que j'observais me l'ont avoué. Après tout, il n'est pas facile de

13. Dans Sparshott, *op. cit.*, p. 616.

défier les conventions. Mais ils peuvent aussi passer, comme Dickens et les leaders transformationnels de Warren Bennis, par des périodes plus ou moins prolongées d'énergie et d'optimisme débridés. C'est l'envers du tempérament cyclothymique, qui leur donne l'énergie, l'enthousiasme, la force d'imposer leur nouvelle vision.

Les gens ordinaires s'accrochent aux formes conscientes, aux « schèmes cognitifs » de la vie quotidienne. C'est ce qui les garde sur la bonne voie. Mais, comme le rappelle Jung, la bonne voie, sans artistes, peut devenir une ornière :

> *La nature définie et directe de l'esprit conscient est une qualité extrêmement importante que l'humanité a acquise au prix d'un très grand sacrifice et qui lui a rendu le plus grand service. Sans elle, la science, la technologie et la civilisation seraient impossibles parce qu'elles présupposent la continuité et la détermination du conscient... Nous pouvons dire que l'inutilité sociale augmente dans la mesure où cette qualité est affaiblie par l'inconscient. Les grands artistes et ceux qui se distinguent par leurs dons de création font évidemment exception à la règle.*

L'artiste a plus facilement accès à son imagination – tout comme le schizophrène ; en revanche, seul l'artiste peut maîtriser le flot d'images et d'associations provenant de l'inconscient[14]. Il peut rompre avec les formes conventionnelles et en créer de nouvelles tandis que le compulsif, craignant de lâcher prise, dilapide son conscient dans une « rationalité aride, banale, vide[15] ». Bon, il suffit ! J'en avais assez pour continuer. Le caractère artistique est décidément très différent. J'avais aussi des indices de son contraire, la « rationalité aride, banale, vide ». En cours de route, j'avais découvert l'artisan.

---

14. S. Arieti, *Creativity: The Magic Synthesis*, New York, Basic Books, 1976 ; M. Milner, *The Suppressed Madness of Sane Men*, Londres, Tavistock Publications, 1987 ; A. Ehrenzweig, *The Hidden Order in Art, Londres*, Weidenfeld & Nicolson, 1967.
15. Rollo May, *The Courage to Create*, New York, Bantam Books, 1975, p. 62.

Le type idéal de l'«artiste»

Le but de mon incursion dans le domaine de l'art était de découvrir le caractère de l'artiste et la nature de son entreprise, d'après l'hypothèse qu'ils ne sont pas étrangers au leadership visionnaire. La civilisation dépend de la vision de l'artiste; il nous force, souvent à contrecœur, à changer nos façons de voir. Sa vision émane non pas d'un besoin conscient de rébellion, mais de son caractère. Il est sensible au monde extérieur et intérieur; il vit, de façon précaire, à la frontière des deux. Ma recherche m'a permis de créer le « type idéal », l'« artiste » – un ensemble de caractéristiques susceptibles de représenter les artistes en général, mais aucun en particulier. L'« artiste » administratif, pensais-je, serait ennuyé par les conventions et éprouverait le besoin de s'en écarter. Cela tiendrait à son caractère, de fondement hyperthymique ou cyclothymique, en alternance avec des périodes d'excitation et de dépression. En période d'excitation, il aura plein d'idées; aux yeux des autres il apparaîtra *intuitif, imaginatif, imprévisible, changeant, émotif;* on penserait qu'il vit dans le rêve.

Le type idéal du «technocrate»

Pour bien voir l'artiste, nous avons besoin d'un contraste. La technique élevée au rang de principe donne le technocrate, qui tend selon la définition du *Petit Robert* « à faire prévaloir les conceptions techniques d'un problème au détriment des conséquences sociales et humaines ». Si la caractéristique principale de l'artiste est de pouvoir alterner entre le conscient et l'inconscient, de vivre à la frontière sans en être malade, la caractéristique de son contraire est que lui ne le peut pas. Rollo May disait que le compulsif redoute tellement l'inconscient qu'il laisse sombrer sa conscience dans une « rationalité aride, banale, vide ». Si l'artiste défie les conventions, le compulsif s'y accroche, s'y conforme, les déifie. En tentant de prévenir le flot de l'inconscient, le compulsif abrutit tout affect. En général, il exsude la maîtrise de ses émotions, la rigidité. Reich dit à propos des compulsifs qu'ils sont des « machines vivantes[16] ». Les machines n'ont guère d'*intuition*; le technocrate est rarement qualifié d'intuitif. Seuls comptent pour lui les *faits*, les *règles*, la *bonne façon de faire*. Shapiro décrit ainsi les compulsifs :

> *Ils semblent incapables de laisser leur attention errer ou de lui permettre passivement d'être absorbée. Ils n'ont que rarement des intuitions et sont rarement frappés ou surpris par quoi que ce soit. Ce n'est pas qu'ils ne regardent ni n'écoutent, mais ils sont trop occupés à regarder et à écouter autre chose. Ainsi, ils peuvent écouter un enregistrement en portant le plus grand intérêt et la plus grande attention à la qualité de l'équipement, aux aspects techniques et autres du disque, et entendre à peine la musique sans se laisser absorber par elle. En général, l'obsédé compulsif a un intérêt très précis et s'y raccroche; il recherche et recueille les faits et les établit clairement, mais il rate souvent les aspects de la situation qui lui donnent sa saveur et son impact. Ainsi, les compulsifs semblent souvent insensibles au « ton » des situations sociales. En fait – telle est la capacité humaine de faire de la nécessité une vertu –, ils parlent souvent avec fierté de leur détermination et de leur impassibilité[17].*

Le jeu n'est pas à l'ordre du jour chez eux. La spontanéité est exclue. Ils sont têtus et ne souffrent aucune intrusion dans leurs plans, qui sont après tout fondés sur les « faits ». Leur mécanisme de défense est l'intellectualisation. Parce qu'ils sont très à l'aise avec les détails, les « faits », ils

16. Wilhelm Reich, *Character Analysis*, New York, Orgone Institute, 1949, p. 199.
17. *Ibid.*, 1965, p. 28.

font souvent preuve de virtuosité technique et d'ingéniosité – là réside la source de leur pouvoir. En gestion, pensons aux réalisations de Taylor, à ses analyses obsessionnelles de temps et de mouvement pour comprendre à la fois les vertus et les difficultés de ce type de caractère. Taylor a mis au point un système ingénieux, mais il a manqué le ton affectif de la controverse qu'il a suscitée. Il se fondait simplement sur les « faits », qui étaient pour lui et par définition émotivement neutres. Évidemment, les faits n'ont pas de statut indépendant du temps et de leurs observateurs – c'était autrefois un « fait » que la terre était plate. Une personne ou « une société qui croit à la magie, à la sorcellerie et aux oracles s'entendra sur un système de " faits " que les hommes modernes jugeront fictifs[18] ».

L'artisan et l'artisanat

Si les visions de l'artiste sont « des ponts jetés vers un rivage inexploré[19] », l'artisan est celui qui construit les ponts. Mintzberg nous a éclairés sur la « stratégie artisanale[20] » dans le cadre de l'organisation. La stratégie d'entreprise lui apparaît comme un processus constant, graduel, s'adaptant nécessairement à l'évolution d'un marché incertain. L'artisanat procède toujours par étape, suivant l'enrichissement lent, graduel des connaissances et de la technique. La distinction entre art et artisanat continue de faire l'objet de vifs débats en esthétique. Quand l'artisanat devient-il art ? S'agit-il de deux catégories distinctes ou existent-elles en continuum ? Voilà quelques-unes des questions que se posent les

18. Polanyi, *ibid.*, 1958, p. 240.
19. C. G. Jung, dans J. Campbell, éd., *The Portable Jung*, Londres, Penguin Books, 1974, p. 314.
20. H. Mintzberg, « Crafting Strategy », dans *Harvard Business Review*, juillet-août 1987.

philosophes. N'étant pas qualifiée pour trancher ce débat, j'ai mis la question de l'artisanat de côté afin de pouvoir explorer l'univers du grand art. Revenons maintenant non pas au débat, mais à une série de descripteurs de l'artisanat pour définir le type idéal de l'« artisan ».

Si, comme l'avance Santayana, le progrès de l'homme comporte une « phase poétique » correspondant à l'art et une « phase scientifique » correspondant à la « technique », il englobe aussi une « phase artisanale », laquelle fait passer à l'usage les « découvertes » de l'art, les transforme, les perfectionne, les raffine, les concrétise, les moule, les sculpte par l'expérience. Le fameux *satiriste* anglais Samuel Johnson avait sans doute tort de dire : « Tous les discours du monde ne peuvent permettre à un homme de façonner un soulier[21]. » Écrivant avant le triomphe de l'industrialisme, il ne pouvait prévoir qu'avec le temps et l'ingéniosité, le métier artisanal du cordonnier serait transformé en une série de techniques et que des machines fabriqueraient un jour des chaussures. Le commentaire de Johnson sur l'artisanat n'en reste pas moins juste. L'artisanat se fonde sur des usages et des traditions[22], transmis de maître à apprenti dans un sens actif, physique – non pas en classe ou par un livre. On ne peut pas « dire » comment faire de la poterie, un bon soulier, une aquarelle qui ne « déteint » pas sur la suivante, comment diriger une organisation. Ces disciplines requièrent de la pratique, de l'expérience et la « connaissance tacite », selon Polanyi.

L'artisanat se fonde sur la pratique et celle-ci n'est pas seulement une affaire de répétition. La pratique et l'apprentissage enseignent à faire et à penser en même temps ; ce sont des exercices à la fois conceptuels et concrets. « Les procédures que nous suivons découlent non seulement de la

21. Dans Sparshott, *ibid.*, 1982, p. 198.
22. H. Osborne, en préface à *Oxford Companion to Craft*, Londres, Oxford University Press, 1975, et « The Aesthetic Concept of Craftsmanship », printemps 1977.

tradition, mais de succès et d'échecs répétés dans l'application de ce que la tradition nous a enseigné[23]. » L'artisanat est la différence entre la « connaissance » et la « compréhension » ; le métier du chant, par exemple, est la « science de l'acoustique [connaissance] jointe à la compréhension du corps acquise par l'expérience [compréhension][24] ». L'expérience est essentielle à la compréhension.

L'artisanat lance de grands défis au monde moderne. Le respect des pratiques d'un art exige la soumission à l'autorité parce que le métier doit être transmis de maître à apprenti. Polanyi insiste :

> *Apprendre par l'exemple, c'est se soumettre à l'autorité. On suit le maître parce qu'on a confiance en sa façon de faire même quand on ne peut pas analyser en détail son efficacité ou en rendre compte... Une société qui veut préserver les connaissances personnelles doit obéir à la tradition*[25].

La formation sur le tas nous donne une compréhension pratique de l'art, qui ne peut se réduire à des maximes. Polanyi continue :

> *Les maximes sont des règles dont l'application correcte fait partie de l'art qu'elles gouvernent. Les maximes du golf ou de la poésie augmentent nos connaissances du golf ou de la poésie et peuvent offrir des indications utiles aux golfeurs et aux poètes; mais ces maximes se condamneraient instantanément à l'absurdité si elles prétendaient remplacer la dextérité du golfeur ou l'art du poète. Les maximes ne peuvent être comprises, et encore moins appliquées, par qui ne possède pas déjà une bonne connaissance de l'art.*

---

23. Sparshott, *op. cit.*, 1982, p. 131.
24. V.A. Howard, *Artistry: The Work of Artists*, Indiana, Hackett Publishing, 1982, p. 35.
25. *Ibid.*, 1958, p. 53.

Les écoles de commerce exigent en général des candidats à la maîtrise un minimum d'expérience parce qu'elles sentent que leurs « maximes » *ne peuvent être comprises, et encore moins appliquées, par qui ne possède pas déjà une bonne connaissance de l'art*. Pourtant, combien de « maximes » n'avons-nous pas entendues sur la gestion d'organisation ? Et combien de fois ces maximes ont-elles été servies par des gens qui n'avaient jamais mis les pieds dans une entreprise ? Enfin, comme société, nous n'aimons guère l'autorité ni la tradition ; nous avons donc beaucoup de problèmes avec l'artisanat.

Nous venons de brosser un bon portrait de l'artisanat, mais qu'en est-il de l'artisan dans l'organisation ? Tout d'abord, il devra être patient. Se soumettre à l'autorité suppose une aptitude à renoncer temporairement à sa manière de faire. Il fera probablement preuve de conservatisme, puisqu'il respecte la tradition. Il ne s'écartera pas facilement des trucs du métier. Les « maximes » dissociées de la « compréhension », qui ne peut résulter que de l'expérience, l'agaceront. Il sera responsable, sensible et fera preuve de jugement. Il sera honnête, loyal et direct, aimable et tolérant.

Voilà donc une longue entrée en matière pour situer mon état d'esprit, vous montrer *ce que* je cherchais et *pourquoi*. La question qui se posait ensuite était de savoir comment importer ces connaissances en gestion, comment étudier le « génie administratif », les artistes à l'œuvre, leurs compagnons de voyage, les artisans et leurs contraires, les technocrates.

Il me fallait tant bien que mal développer des outils de recherche me permettant de dire les choses avec un certain degré de confiance, de validité intersubjective.

Des méthodes multiples

Depuis plusieurs années, j'observais de l'intérieur une entreprise internationale de services financiers avec des actifs atteignant des dizaines de milliards de dollars et des divisions sur plusieurs continents[26]. Après avoir assisté à d'innombrables réunions ordinaires et extraordinaires de comités et de conseils, il m'est apparu clairement que trois types de personnalités évoluaient au plus haut niveau de l'entreprise, dont les quinze chefs de la direction du groupe et de ses grandes divisions. Chacun de ces trois types de personnalités parlait un langage différent et avait des intérêts et des priorités différents. L'un voulait que l'entreprise conquière le monde, ou au moins de vastes parties du monde ; un autre qu'elle perfectionne ce qu'elle faisait déjà ; et le troisième, qu'elle mette ses « systèmes » au point et réalise des bénéfices. Les deux premiers souhaitaient aussi réaliser des bénéfices, mais leur définition ou leur notion de la *manière* de les réaliser différait énormément de celle du troisième. Comment « prouver » qu'il y avait effectivement trois types distincts et que ce n'était pas simple fantaisie de ma part ? De trois façons.

Je me suis abandonnée au penchant nord-américain pour les mesures. D'abord, j'ai dressé ce qu'on appelle une liste de contrôle d'attributs (LCA[27]) ; la liste comprenait soixante adjectifs d'usage courant comme « drôle », « sérieux », « honnête », « retenu », ainsi de suite. Je prévoyais que les artistes seraient perçus, entre autres, comme « intuitifs », les artisans comme « réalistes » et les technocrates

26. Les données sur l'entreprise, les noms, les dates, les éléments d'actif et les implantations géographiques sont délibérément vagues pour préserver la confidentialité des renseignements sur les hauts dirigeants.

27. H. G. Gough, « The Adjective Check List as a Personality Assessment Research Technique », *Psychological Reports*, vol. 6, 1960.

comme « méticuleux ». Pour chacun des cadres supérieurs, j'ai demandé à dix des personnes avec qui je m'étais entretenue – membres du conseil d'administration, collègues et quelques vice-présidents – de cocher une liste. Par exemple, pour James, chef de la direction du groupe, de 1965 jusqu'au début des années 80, j'ai demandé à dix de ses collaborateurs immédiats – admirateurs et critiques – de répondre à la question : « Quand vous pensez à James, quels sont les adjectifs qui vous viennent spontanément à l'esprit ? » J'ai compilé les réponses, constituant ainsi une banque de données de 9 000 entrées (60 adjectifs x 10 observateurs x 15 cadres (PDG) = 9 000). J'ai ensuite procédé sur ordinateur à de savants calculs – analyses de facteurs et de correspondances – qui ont abouti à la définition de trois types de sujets.

Les apparences peuvent être trompeuses. Le résultat, certes intéressant, reposait sur des perceptions. Et si les perceptions étaient « fausses » ? Si la « vraie » personne était différente de ce qu'elle semblait être ? Pour corroborer le test des adjectifs, il me fallait en savoir davantage sur la vie intérieure des quinze. Leur vie intérieure était-elle conforme à leur vie extérieure ? J'ai alors eu recours à l'Inventaire multiphasique de la personnalité du Minnesota (IMPM) ; il s'agit d'un test psychologique standard utilisé couramment dans des dizaines de milliers d'évaluations diagnostiques dans le monde. Ce n'est *pas* un test de personnalité « rapide et méchant ». C'est un outil sérieux comportant 566 questions. Les résultats du test ont été compilés sur ordinateur – pour en garantir l'objectivité – et interprétés avec l'aide d'un psychologue de Toronto. Les profils de personnalité révélés par le test ont confirmé que j'avais affaire à un phénomène stable et cohérent. Encore une fois, les trois types ont émergé.

Pour le reste, j'ai examiné les documents externes et internes d'une période allant de 1960 à 1990, en me concentrant particulièrement sur la période de 1975 à 1990.

J'ai observé, écouté, parlé et j'ai procédé à soixante entretiens en profondeur avec les cadres et les membres du conseil d'administration, en deux temps, en 1986 et de nouveau en 1990. Je leur ai demandé de me parler de l'évolution du groupe, de sa stratégie, de sa structure, de sa culture, de ses gens et de son esprit d'équipe.

Plan de l'ouvrage

La première partie, intitulée « Les acteurs », est descriptive. Dans le premier chapitre, nous trouvons l'artiste, le « génie administratif » : inventif, intuitif, drôle, inspirateur, excitant, émotivement instable, visionnaire, d'humeur changeante, parfois solitaire. La plupart des artistes décrits dans ces pays seraient renvoyés, mal considérés ou écartés sous le prétexte qu'ils sont « peu professionnels » « rêveurs » ou « stupides ».

Le deuxième chapitre décrit l'artisan : dévoué, digne de confiance, honnête, posé, réaliste et sage. Nous verrons que ces « qualités » sont tombées en discrédit, en partie parce que la modernité ne peut pas tolérer l'autorité, la discipline, la tradition, qui sont les vertus de l'artisan.

Le troisième chapitre nous présente le technocrate. Cérébral, austère, intransigeant, intense, résolu, têtu, méticuleux, souvent brillant, il dit vouloir dominer l'« émotion » par la « raison », mais c'est un mensonge. Les gens sensés placent tous la raison au premier rang; le technocrate veut, passionnément, que la raison extirpe la passion.

Le chapitre suivant situe les trois personnages en relation l'un avec l'autre. Il montre ce qu'ils pensent l'un de l'autre et annonce les conflits qui peuvent émerger de caractères aussi différents.

La deuxième partie, intitulée « Le drame », commence par décrire comment ces trois personnages ont travaillé de concert, et l'un contre l'autre, au cours des quinze années d'existence de la multinationale multimilliardaire. Elle montre comment la mentalité technocratique finit par chasser le reste et révèle aussi comment l'artisan est pris entre les feux des artistes et des technocrates.

Le sixième chapitre tente d'expliquer les raisons de la victoire technocratique et en énumère les conséquences pour l'organisation. J'y affirme que le technocrate réussit à détourner l'entreprise avec notre soutien et notre complicité et que la pseudo-science du futurisme doit maintenant assumer une partie du blâme.

La troisième partie intitulée « La Morale de l'histoire » en mesure les conséquences pour chacun d'entre nous. Le chapitre sept passe en revue les théories actuelles sur le leadership pour en conclure que le remède est pire que le mal et, se fondant sur la recherche menée, qu'il existe neuf types de leaders.

Le chapitre huit vise à aider le lecteur à discerner plus clairement ces différents types dans d'autres contextes.

Le chapitre neuf conteste les notions primaires de création d'équipes et met en avant que le seul obstacle à l'esprit d'équipe vient des technocrates. Pour des raisons évidentes, le chapitre dix conduit à tenter d'évaluer le nombre de technocrates « au pouvoir » aussi bien dans le secteur public que dans le privé. Un dernier chapitre intitulé « Des solutions partielles » propose un diagnostic sur les origines du triomphe technocratique et, comme son nom l'indique, avance quelques timides solutions.

Mes conclusions sont brèves parce que je n'ai pas de recette miracle à proposer. On ne trouvera donc pas dans cet ouvrage des formules de gestion : aucune recette de structure « horizontale », de « réingénierie », de « gestion participative » ou de « leadership instantané à diluer dans un peu d'eau ». En revanche, on trouvera une description et une analyse. Les théoriciens de la gestion sont allés un peu trop vite dans leurs ordonnances ; c'est très bien de dire aux gestionnaires ce qu'ils doivent faire, mais supposons qu'ils n'en soient pas capables ? L'ouvrage est délibérément et consciemment descriptif parce que la description est la meilleure alliée d'un changement salutaire. Une description juste et convaincante peut changer le monde ; une description juste peut aider les gens à mieux comprendre leur univers et leur fait la grâce de reconnaître qu'ils sont les mieux placés pour juger de ce qu'ils doivent faire – et non pas nous.

Le livre affiche ma préférence pour les images et les métaphores plutôt que le langage technique, qui sert davantage à impressionner qu'à éclairer. Le langage pseudo-scientifique n'est pas plus « objectif » que le langage poétique. Le ton de cet ouvrage est passionné. Je crois que la passion, l'intérêt pour une chose, nous rend *plus* et *non pas moins aptes* à y voir clair. Nous regardons de plus près ce qui nous tient *à cœur*. Nous sommes plus, et non pas moins, « scientifiques ». Cela aussi est maintenant considéré comme sacrilège.

Ce livre parle de personnes, de leaders ayant existé. Si vous avez un rêve à réaliser, prenez un rêveur. Si vous avez besoin de réalisme, prenez un sage. Si vous avez une corvée à accomplir, prenez un calculateur. Si vous avez simultanément ces trois besoins, créez une équipe et maintenez chacun à sa place. Mais cessez de gaspiller vos efforts à tenter de transformer du vulgaire métal en or, à attendre qu'une blanche farine sorte d'un sac à charbon.

Voyons ce que j'ai trouvé.

PREMIÈRE PARTIE

Les acteurs

Chapitre I

Le concerto[1]

Les artistes

Ah, but a man's reach must exceed his grasp,
Or, what's a heaven for[2]*?*

Robert Browning,
Andrea del Sarto

Quand il entre, tout le monde sourit. Tous, sauf les technocrates. Ils restent impassibles. Parfois, ils font une légère grimace d'irritation, qui disparaît aussitôt – et ils reprennent leurs conversations sérieuses. Lentement, mais sûrement, les autres s'approchent pour lui serrer la main, jouir de son large sourire, l'entourer, se laisser gagner par son énergie et son charme engageants. Il a un mot pour chacun. « Comment ç'a été à Vancouver ? » « Comment vous débrouillez-vous avec ce projet ? Ça va ? Puis-je vous aider ? » Et à un autre : « Comment va Marie ? Est-elle remise de sa grippe ? Dis-lui que Jeanne la salue. Nous vous verrons à Paris le mois prochain. » On lui souffle une blague à l'oreille. Il éclate de rire. Puis, presque à contrecœur, il dit : « Bon, je pense que nous ferions bien de nous mettre au travail. »

---

1. Composition de forme sonate, pour orchestre et un instrument soliste (*Nouveau Petit Robert*, Paris, Le Robert, 1993, p. 430).
2. *Ah! mais l'horizon de l'homme doit déborder sa compréhension, Sinon, pourquoi y a-t-il un ciel ?* (traduction libre).

Il est grand, fort, avec des yeux pétillants qui dénotent une vive intelligence. Il a des pattes d'oie – seules rides de son visage – , car il rit sans cesse. Son allure, ses cheveux gris argenté lui donnent un air de sagesse et de classe. Vraiment un beau type d'homme – un aristocrate. Mais il n'est pas le seul, il y en a deux autres dans la pièce.

L'un, légèrement moins grand que lui, est quand même de bonne taille et bien bâti. Il est aussi grisonnant, rit aisément et de bon cœur, comme en témoignent les sillons qui font une boucle du nez à sa bouche. Cependant plus tendu, plus rigide, plus nerveux, il me fait penser au pur-sang qui piaffe sur la ligne de départ. Ses yeux n'ont pas la douceur du premier ; ils sont plus pénétrants, plus vifs. Son front est profondément ridé, trahissant le stress, la fatigue et peut-être la dure nuit de la veille. Ses saluts sont chaleureux – un sourire, une accolade –, mais brefs. Il a l'air un peu distrait, comme s'il avait plein d'autres choses en tête. C'est le cas, du reste.

Le troisième est tout sucre et tout miel. Je sais que l'expression est un peu vieillotte à une époque où la galanterie se confond avec le sexisme. Mais elle le décrit bien : c'est un beau parleur, et je ne l'entends pas dans un sens péjoratif, mais plutôt affable, obligeant. Sa voix est douce, son sourire sincère et chaleureux, son rire séduisant. Il donne à toutes les femmes réunies dans la pièce le sentiment d'être des reines, surtout aux plus âgées, un peu fanées. Les plus cassantes se hérissent devant lui ; les autres, bichonnées et léchées, se sentent spéciales. Je précise qu'il n'est ni manipulateur ni condescendant. Il est bien éduqué et poli. Autrefois, dans son milieu, la « politesse » était de faire en sorte que les femmes autour de soi se sentent bien dans leur peau. Son comportement prévenant dissimule la force, le dynamisme, l'énergie et la détermination qui se cachent sous la surface. Je suis sûre que ses rivaux l'ont souvent sous-estimé, à leurs dépens.

Les trois hommes sont très différents. Ils sont issus de milieux, d'une époque et de lieux différents. Leur situation familiale était différente : l'un a perdu son père très tôt, l'autre a eu une « enfance heureuse », et le troisième unc enfance troublée. Ils n'ont pas la même éducation : l'un est diplômé en droit et en commerce, les deux autres ont appris sur le tas. L'un a passé sa vie professionnelle dans la même organisation ; un autre, la moitié de sa vie, et le troisième a eu plusieurs emplois. Déjeunant avec eux en janvier 1994, deux ans et demi après avoir terminé ma recherche, je leur ai demandé s'ils ne trouvaient pas étrange d'avoir été ainsi mis dans le même sac. « Non, pas du tout », m'ont-ils répondu. Quand on respecte ses collègues, on ne craint pas la comparaison.

Malgré leurs contrastes, ces trois hommes ont un point commun : ils sont des leaders, des leaders visionnaires, des « artistes » – dans mon jargon. Appelons-les James, Cobb et Mike, dans l'ordre ; cela dit, Mike est le doucereux. Pour ceux qui ont sauté l'introduction ou l'ont déjà oubliée, je rappelle que j'ai demandé à dix de leurs collègues – amis et ennemis – de me donner un aperçu de ces trois hommes et de douze autres. Leurs réponses, traitées par ordinateur, ont donné une carte mathématique de leur caractère. Pour l'instant, nous allons nous concentrer sur une partie de cette carte. Plus tard, nous la considérerons en entier. Comme vous pouvez voir, James, Mike et Cobb sont entourés par une nuée d'adjectifs. Au centre apparaissent les adjectifs de base : inspirateur, drôle, entrepreneurial, visionnaire, intuitif, émotif. Rayonnant vers l'extérieur, nous trouvons imaginatif, audacieux, téméraire, imprévisible, changeant, stimulant, près des gens, décontracté, chaleureux et généreux. Légèrement hors du cercle extérieur, nous lisons ouvert d'esprit, qualité que les artistes partagent avec les artisans.

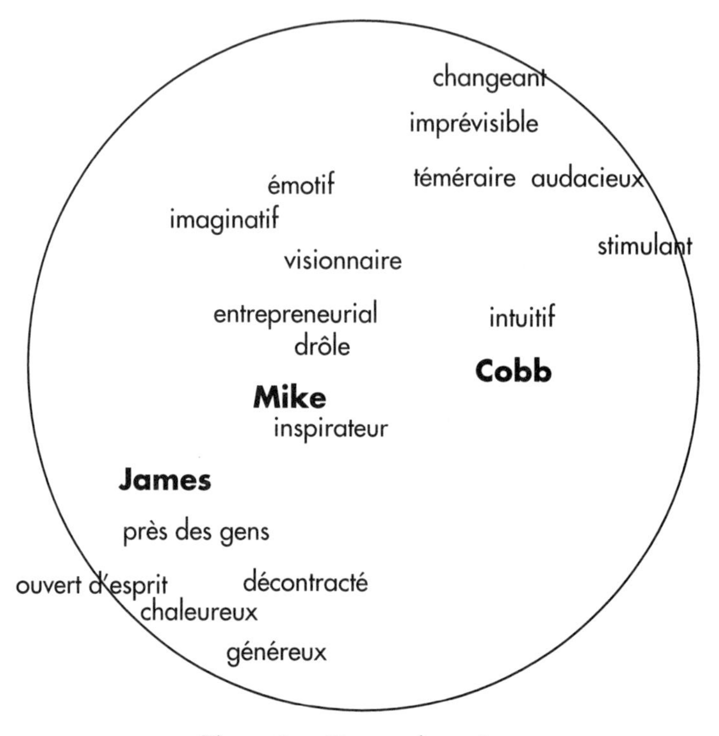

Figure 1. « Carte » des artistes

Sans entrer dans le détail des opérations mathématiques, je vais tenter d'expliquer ce que veut dire la carte. La proximité du nom de Mike et de l'adjectif « inspirateur » ne signifie *pas* que Mike est le plus inspirateur des trois. La position des personnes et des adjectifs est déterminée par la conjonction mathématique des adjectifs et des personnes. Dans l'algorithme de l'ordinateur, les adjectifs et les personnes « luttent » l'un contre l'autre ; par exemple, l'attribut « ouvert d'esprit » est attiré mathématiquement vers l'artiste et l'artisan et n'aboutit donc dans aucune zone centrale. La nuée d'adjectifs qu'on voit ici représente ce que j'appelle le type idéal de l'artiste. Le monde réel diffère de ce type idéal par degrés. L'adjectif « stimulant », par exemple, est fortement associé à l'adjectif « audacieux » et, de plus loin, avec « chaleureux » ; James est à la fois stimulant et chaleureux. C'est une affaire de degrés. Plus on s'éloigne du centre, moins le sujet est conforme à l'archétype. James, par exemple, possède plusieurs des qualités de l'artisan que nous explorerons plus loin. Ensemble, les adjectifs sont des bornes ou, si on veut, les empreintes digitales du chef visionnaire. Il faut se rappeler qu'ils nous ont été livrés par des admirateurs aussi bien que par des critiques.

Procédons par groupe. Il y a ici des types différents de qualités. Il y a ce qu'on pourrait nommer les qualités de l'esprit, qui dénotent une façon de penser : imaginatif, visionnaire, intuitif, ouvert d'esprit. Une vieille collaboratrice de James dit de lui :

> *J'ai toujours été surprise qu'il puisse flairer le vent avant les autres. Des fois, je l'attribuais à une intuition féminine. En français, on dirait qu'il a du «pif» ou du «nez», une sorte de sixième sens.*

La même qualité est attribuée aux trois hommes. Ils pensent à très long terme. Cobb parle de stratégie :

> *Pour développer une stratégie, il faut voir loin. Je vois vingt ans d'avance et je ramène mes prévisions à cinq ans, puis à trois... Il faut procéder à rebours en matière de stratégie. Elle ne peut jaillir de la perception quotidienne.*

Est-elle fondée sur les faits ? Et Cobb, de poursuivre :

> *La stratégie jaillit de l'astrologie, de l'excentricité, du rêve, de liaisons amoureuses, de la science-fiction, de la perception de la société, de quelque folie probablement, de l'aptitude à deviner. C'est clair, mais fluide. L'action la précise. C'est très vague, mais ça se clarifie en cours de route. La création, c'est la tempête.*

Cela ne rappelle-t-il pas le poète Spender décrivant l'inspiration poétique comme le « faible nuage d'une idée qui, je le sens, doit être condensée dans une pluie de mots » ? Et Merleau-Ponty : « Il n'y a qu'une vague fièvre avant l'acte d'expression artistique. Seule l'œuvre, achevée et comprise, prouve que l'artiste avait *quelque chose* et non *rien* à dire. » Cobb dit que cette vision à long terme, vague, indéfinissable, ne se clarifie que dans l'action et, ajoute-t-il plus tard, en restant perméable aux idées nouvelles. Les trois passent pour très ouverts.

Pourquoi les suit-on s'ils ne savent pas bien où ils vont ? Je dirais qu'ils savent où ils vont, mais que leur destination est vague et que leur parcours prend davantage le caractère d'une exploration. Si vous demandez à un grand peintre quel sera son prochain tableau, je doute qu'il puisse vous répondre et, le cas échéant, je doute qu'il soit vraiment « grand ». Les recherches montrent que les meilleurs artistes restent très ouverts en cours de création ; il y a interaction constante entre une vague vision et l'acte concret de peindre. Les leaders visionnaires inspirent par des métaphores plutôt que par des exposés détaillés sur l'avenir. Les premiers jours, James parlait souvent de l'arbre qui se ramifie. Ses collègues disent qu'il faut « décoder » ce genre de métaphore.

Si une image vaut mille mots, selon le cliché, je vous ferai grâce de quelques mots. Je prétends que l'intuition du chef visionnaire est de mêmes forme et origine que celle de l'artiste. Prenons ce tableau de Salvador Dali (voir la page 46). J'espère que personne ne me dira que Dali avait une image mentale claire de ce tableau *avant* de le peindre. Toute l'esthétique nous dit le contraire. Maintenant regardons l'illustration suivante (voir la page 47). C'est ma façon d'illustrer la métaphore de l'arbre se ramifiant. Pour James, installé dans une petite capitale de l'Ouest dans les années 60, elle représentait une sorte de grande entreprise internationale de services financiers intégrés, *au moins vingt ans* avant qu'une telle notion ne devienne monnaie courante.

La notion *s'esquissait*, mais elle était rudimentaire, vague, fragmentaire, « rien qu'un germe *ab initio* ». Comment pouvait-il en être autrement ? Le concept n'existait pas. Selon les conventions de l'époque, « les banquiers étaient des banquiers et les assureurs des assureurs : les deux étaient inconciliables » : ils passaient pour les piliers inébranlables du monde financier. Pour compléter son tableau, James avait besoin de temps et de pouvoir. Les artistes sont notoirement jaloux de leur indépendance. Imaginez qu'on ait pu dire à Dali, à mi-chemin dans son travail : « Cet arbre au centre est ridicule. Efface-le. » Chaque pièce du rêve de James – de la banque du Royaume-Uni aux fonds communs de placement canadiens et aux compagnies de câblodistribution, qui n'avaient apparemment aucun rapport avec les services financiers – était indispensable à son projet, qu'il n'aurait pu articuler à l'origine. Il usait de métaphores en parlant et il a saisi les occasions – on l'a accusé d'être opportuniste, de travailler sans plan.

La vision artistique semble toujours fragmentaire. On dit que Beethoven a amorcé la sonate *Hammerklavier* par un contrepoint entre deux mouvements qu'il n'avait pas composés[3]. Dans une lettre à sa mère, Mark Twain[4] décrit un phénomène semblable :

> *J'essaie d'imaginer une nouvelle. J'en ai écrit la dernière phrase. Elle est solide et bien construite, mais je n'ai encore rien rédigé du reste du texte.*

---

3. Ehrenzweig, p. 50-51. « Le troisième mouvement lent de la sonate *Hammerklavier* me surprend encore par son passage soudain à une grande et belle cantilène qui marque une rupture mélodique en même temps qu'harmonique. Les livrets nous apprennent que Beethoven a d'abord écrit cette brusque transition et non pas le grand thème de l'adagio. Comme c'est étrange : une transition entre des mélodies qui n'existent pas encore ! Les mélodies se développent plus tard à partir de cette rupture entre elles. Beethoven n'a jamais révisé la pause alors qu'il a continué de polir et de raffiner les grandes mélodies. Ici nous avons un bon exemple d'une idée disruptive et inarticulée qui oriente et déploie les grandes structures. » (traduction libre)
4. Dans R.E.M. Harding, *An Anatomy of Inspiration*, New York, Barnes & Noble, 1967, p. 51.

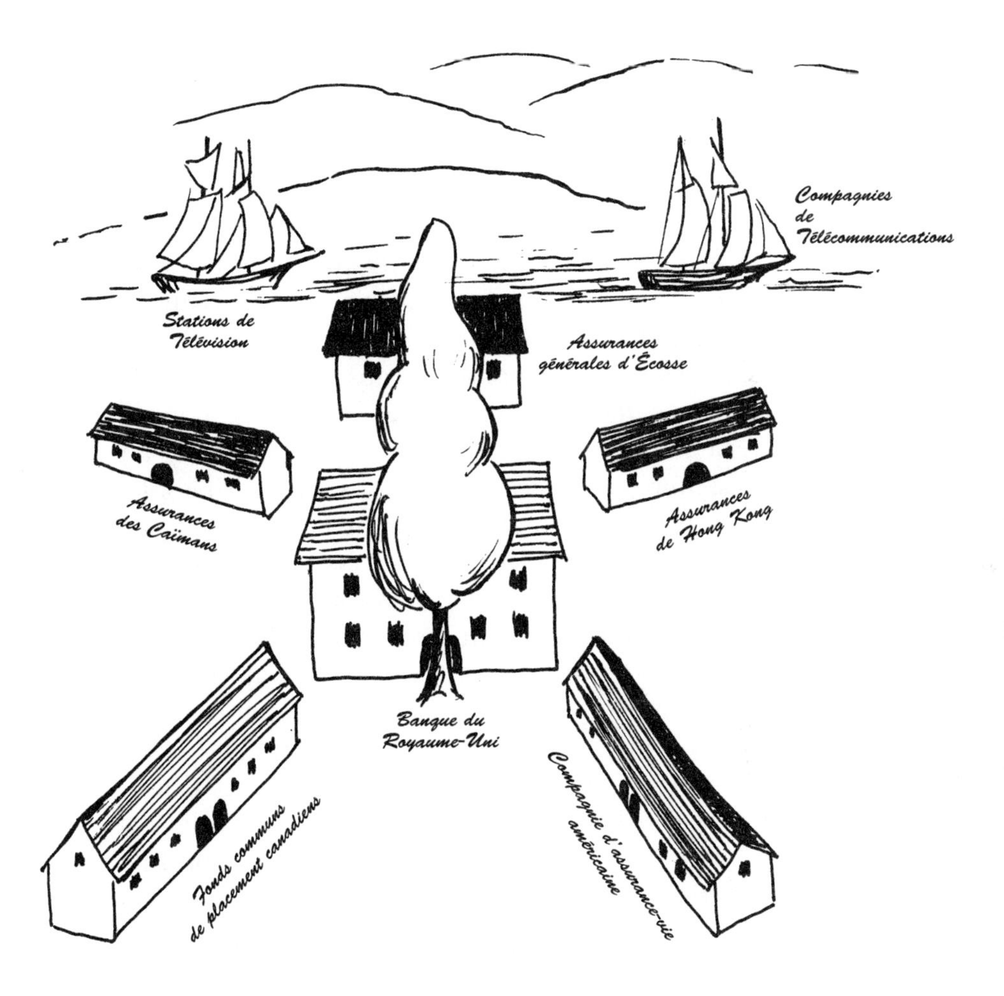
Compagnies
de
Télécommunications
Stations de
Télévision
Assurances
générales d'Écosse
Assurances
des Caïmans
Assurances
de Hong Kong
Banque du
Royaume-Uni
Fonds communs
de placement canadiens
Compagnie d'assurance-vie
américaine

Comment « expliquer » à un profane que vous avez une idée de nouvelle, de sonate, une intuition géniale pour l'organisation ? La logique discursive, le langage ne sont pas à la hauteur de la tâche, mais une métaphore peut faire l'affaire.

Pour revenir à la question de savoir pourquoi nous avons suivi James, Cobb et Mike, considérons le prochain groupe d'attributs auquel on pourrait vaguement donner des termes d'« action » ou de comportement : entrepreneurial, audacieux, téméraire, imprévisible, stimulant. « Imprévisible » parce que le projet n'existe que dans leur tête et non pas sur papier. Une occasion se présente d'en réaliser une partie et ils la saisissent : *carpe diem !* Ils sont entrepreneuriaux. Pour le monde extérieur, ils peuvent sembler opportunistes, au mieux, et fous, au pire, mais à tout le moins imprévisibles. Ils paraissent aussi téméraires et audacieux parce qu'ils vont fort probablement à l'encontre des conventions et de la mode : une caméra ne peut pas produire d'images « instantanées » (Polaroïd) ; un ordinateur ne peut être « convivial » (Macintosh) ; « famille » et « voiture sport » sont inconciliables (Mustang), et « souveraineté » et « association » sont contradictoires (René Lévesque). Mais enfin ! Ça ne se fait pas ! Dans le monde qui nous occupe, celui de James, Mike et Cobb, l'équivalent serait : « Les banques n'achètent pas de câbles. » Mais ils n'aiment pas se plier aux conventions. Alors, ils sèment l'excitation.

La vision est mariée à l'action, une action rapide, stimulante, une action de funambule défiant la mort. Cela suffit pour réveiller les gens et en inciter quelques-uns à suivre. Avec l'autre groupe de qualificatifs, on a une réussite formidable. Ceux-ci marquent, disons, des qualités du cœur, du tempérament : près des gens, décontracté, chaleureux, généreux, émotif et changeant. Je disais en début de chapitre que James était chaleureux et avait invariablement un bon mot pour chacun en entrant au bureau. Il avait aussi la tête au travail. Il était très occupé, mais pas assez pour ne pas prêter attention à son entourage. James, Mike et Cobb étaient tous « attentifs » à leur entourage, non pas pour le « motiver », mais parce qu'ils tenaient compte des gens, de leurs sentiments, de leurs besoins, de leurs inquiétudes et de leurs craintes. Ils ne le faisaient pas par calcul. Cobb parle de charisme :

J'ai toujours cru que le milieu de travail est agréable s'il est dynamique, s'il a un sens, si on a le sentiment d'y être important, d'y faire quelque chose. C'est ce que je cherchais à insuffler... c'est un message simple, mais qui va droit au cœur des gens... Soudain, vous leur permettez de s'exprimer, de dire ce qu'ils ressentent au plus profond d'eux-mêmes, ce qui n'est d'ordinaire pas permis en affaires... C'est ça le charisme, je pense. Ça n'a rien à voir avec les choses. Le charisme émane de l'âme. Parce que je l'exprimais, les autres pouvaient l'exprimer. C'était contagieux et excitant. On prenait plaisir à ce qu'on faisait et le plaisir, je pense, vient du fait que le cœur est de la partie autant que l'esprit.

James a osé dire publiquement :

L'homme réagit instinctivement à la pression du besoin matériel et au désir d'amour et d'amitié. Il nous semble que de répondre à ce double besoin donne à notre institution une raison d'être valable.

Combien de chefs de direction connaissez-vous qui osent parler d'amour dans leur rapport annuel ? Et combien croient vraiment que leur entreprise doit avoir un but moral ? L'un de mes artistes, parlant du commerce des assurances, vous surprendra peut-être :

Je dis à mes agents que leur commerce est le plus moral qui soit. Personne n'aime penser à la mort ni en parler. L'agent d'assurances qui met le pied chez vous pour vendre une police d'assurance-vie est engagé dans une bataille morale. Il y a des millions de veuves et d'orphelins qui vivent mieux dans le monde parce qu'un casse-pieds a vendu une police au père exaspéré.

Ajoutez une once de « générosité » et de « complaisance » à ce curieux mélange. Que veulent dire « générosité » et « complaisance » ? Que vous n'êtes pas congédié si vous faites une erreur. Écoutons Cobb de nouveau :

Il faut apprendre à faire confiance au personnel, lui permettre de courir, lui donner une chance. Je passais mon temps à répéter : nous devons accepter que nous ferons des erreurs.

Finalement, j'en arrive aux deux derniers adjectifs : émotif et changeant. Je les ai délibérément laissés pour la fin parce qu'ils me permettront de raconter une autre partie de l'histoire, celle de la vie intérieure de l'artiste. J'avancerai à pas feutrés ici, parce que je sais que parler de principes psychodynamiques rend souvent très mal à l'aise. J'en ai vu qui quittaient la pièce dès qu'on mentionnait Freud ou Jung ! Ne vous affolez pas. Suivez-moi. C'est important.

Avant de trop m'aventurer, je tiens à faire une mise au point. D'abord, je ne dirai rien d'aucun individu ; les renseignements individuels sont trop personnels et, par conséquent, exclus. Ensuite, j'ajoute deux personnes à tendance artistique au groupe des artistes, pour préserver l'anonymat et pour une raison de fond. La justification technique, pour qui s'y intéresse, apparaît à l'annexe technique.

Bon. Vous souvenez-vous de l'Inventaire multiphasique de la personnalité du Minnesota (IMPM) ? Cinq cent soixante-six questions traitées à la machine ? Ce questionnaire, joint à mes observations pendant une décennie et aux résultats de mes entretiens, forme la base de la prochaine section.

La vie intérieure

Man was made for Joy and Woe;
And when this we rightly know
Thro' the World we safely go[5].

William Blake,
Augeries of Innocence

« Émotif », « changeant ». Joie et malheur. De haut en bas, dans les deux sens. Comme Lincoln, Churchill, Dickens et Monet. Churchill appelait ses déprimes « le chien noir » ; elles le hantaient, le traquaient. Charles Dickens disait plus haut : « Je suis malade, pris d'étourdissement et capricieusement déprimé... Je passe de mauvaises nuits, je suis rempli d'inquiétude et d'angoisse... mon extrême tristesse en ce moment même est inconcevable. » Pourtant, il était d'ordinaire enthousiaste, énergique et très créatif. Donc, en général, ces gens paraissent radieux et exubérants, ouvertement et sans gêne.

Pour préparer ce qui suit, voyons Winston Churchill de plus près. Même ses ennemis le tenaient pour un stratège militaire intuitif et visionnaire. (Bien sûr, comme les intuitions sont parfois fausses, il a aussi eu de grands échecs.) Il était éloquent, spirituel et utilisait souvent des métaphores pour exprimer ses idées ; c'est à lui que nous devons l'image du « rideau de fer... tombé sur le continent ». Son discours n'était pas empreint de rigueur ni de logique, mais de métaphores

5. *L'homme est fait pour la joie et le malheur ;*
Si nous n'en doutons point
Nous traversons la vie sans heurts (traduction libre).

et de passion. Avant la Deuxième Guerre mondiale, il a harangué sans relâche le peuple britannique, le prévenant des terribles conséquences du manque de préparation militaire. Voyons la métaphore, à peu près en ces termes : « J'ai vu cette grande île dévaler aussitôt et gauchement l'escalier qui mène à l'abîme. C'est d'abord un bel escalier, mais le tapis disparaît au bout d'un moment. Plus bas, il n'y a qu'un dallage de pierres, et encore plus bas les pierres s'émiettent sous les pieds. »

Cette image n'est-elle pas plus puissante, plus convaincante que le discours « logique » équivalent : « Nous n'appliquons que 2,1 % de notre PNB aux préparatifs militaires, tandis que nos adversaires, depuis 1934, y affectent de 2,13 % à 2,16 %. » Qu'est-ce qu'on s'en fiche !

L'esprit d'aventure, l'enthousiasme, l'exubérance dominaient son naturel, mais il avait un côté sombre et les déprimes typiques du maniaco-dépressif. La psychose maniaco-dépressive, qu'on appelle en médecine le « désordre affectif bipolaire[6] », est une maladie sérieuse qui a une origine génétique et physiologique (incluant des épisodes hallucinatoires, la fuite des idées et la perte totale de contact avec la réalité). La cyclothymie, forme plus bénigne, était évidente chez Churchill[7].

On ne connaît pas très bien le rapport entre la dépression et la créativité, mais on pense que la profonde expérience traduite par l'œuvre d'art classique peut émaner de ce qu'on qualifie cliniquement de dépression, et que l'impulsion d'une œuvre aussi parfaite peut provenir de l'énergie déployée pour

---

6. A. Georgotas et R. Cancros, éd., *Depression and Mania*, New York, Elsevier Science Publications, 1988.
7. Voir P. Rentchnick, *Ces malades qui nous gouvernent*, Paris, Stock, 1976. Voir aussi J. J. Schildkraut et coll., « Mind and Mood in Modern Art : Depressive Disorders, Spirituality, and Early Deaths in the Abstract Expressionist Artists of the New York School », dans *The American Journal of Psychiatry*, avril 1994.

combattre une dépression anormalement forte[8]. La perte provisoire d'intérêt pour le monde extérieur, caractéristique de la dépression, peut provoquer une activité d'une intensité correspondante dans l'univers intérieur. Outre son fondement génétique et physiologique, qu'est-ce qui peut provoquer une dépression ? Arieti suppose que le créateur sent une imperfection ou un inachèvement dans la façon habituelle de voir le monde et qu'il en est suffoqué ; il éprouve le besoin de rompre et de s'écarter de la convention. Après tout, c'est déprimant de se frapper sans cesse la tête contre le mur de briques de la complaisance. Écoutez l'un de mes artistes décrire son rêve. Je lui ai demandé : « Si vous deviez tout recommencer, que feriez-vous de différent ? » Il a répondu :

> *Si je pouvais reprendre ma vie ? Le carcan de ma jeunesse, je le* casserais. *Je le* détruirais *vraiment pour pouvoir explorer ma vie.*

Les limites classiques – que penser ? quelle école fréquenter ? comment se comporter ? – lui paraissaient intolérables. Je lui ai demandé quelle sorte de personne le rendait mal à l'aise. Il a répondu :

> [Spontanément] *Les ambassadeurs,* [éclats de rire] *ce sont des charlatans... Et les gens onctueux. Les outrecuidants qui se pensent supérieurs. Les snobs, plus ils sont snobs, plus ils ont la tête vide. Ceux qui n'ont rien à dire. Je ne parle pas des taciturnes, mais des gens qui sont superficiels, vides, vains.*

Bref, les gens qui répètent des clichés et qui prétendent avoir réponse à tout. Les conventions de toutes sortes. Pierre Péladeau, qui a bâti à partir d'un petit journal communautaire un empire international ayant un actif de trois milliards de dollars (qui comprend la deuxième imprimerie d'Amérique

8. H. Segal, dans *Read*, 1965, p. 62.

du Nord et Fécomme en France), est un maniaco-dépressif; il prend du lithium pour neutraliser la maladie mais n'a jamais cédé aux conventions.

Il y a donc pour une raison de génétique, de biologie, de développement ou d'accident, un lien entre la dépression et la créativité, mais le naturel est l'enthousiasme. James a écrit :

> *Nous vivons à une époque très exigeante, mais qui promet encore plus! C'est une époque dangereuse qui donne le vertige, mais qui permet aussi de goûter – même de savourer – la joie de savoir, de créer, de vivre.*

Ces dépressifs ont le goût de vivre malgré les difficultés – peut-être même *à cause* d'elles. Ils affichent et inspirent l'enthousiasme. Qu'en est-il donc de cette dépression ?

Le mot « dépression » inquiète. Il est empreint de toutes sortes de connotations et de superstitions. La dépression est normale. Nous avons tous de mauvais jours, de tristes jours, des jours où nous avons envie de ne rien faire. C'est une dépression bénigne. La dépression revêt plusieurs formes; elle peut se manifester sous forme de lassitude et de fatigue plutôt que de tristesse; ou de légèreté – la « dépression souriante », comme on dit; ou de dépendance à l'alcool. Elle peut se traduire par l'hyperactivité, l'incapacité de se reposer ou même de s'asseoir par crainte de s'exposer au « chien noir ». La personnalité artistique, d'ordinaire cyclothymique, n'est qu'une intensification des cycles normaux. Quand je suis déprimée, je peux sortir et aller acheter une paire de chaussures, tandis qu'un « maniaco » ira acheter la tour Eiffel avec sa carte Visa.

Mes cinq sujets montrent des signes d'hyperthymie ou de cyclothymie. L'un m'a avoué :

> *Oh! j'ai toujours eu des crises de dépression. Dépression sérieuse. Alors j'achetais une autre compagnie. Ça a toujours marché.*

Ils ont de grandes fantaisies qu'ils se permettent de réaliser. Écoutons l'interprétation clinique aveugle des résultats d'IMPM de l'un d'eux :

> *Voici l'un de vos artistes. Saine fierté. Très artistique, créatif. Des fois, il a beaucoup de mal à distinguer la réalité de la fantaisie. Utilise la fantaisie pour surmonter l'angoisse. Exceptionnellement sensible, non conformiste. Plutôt isolé, mais a assez d'énergie pour interagir socialement. Plutôt hystérique. Exceptionnellement créatif et fantaisiste. Semblable à Picasso. Totalement non conformiste.*

Remarquons plusieurs choses. D'abord, « saine fierté » est-elle synonyme de narcissisme ? Pas du tout. Elle implique un caractère fort, capable de vivre avec l'ambiguïté, l'ambivalence et le doute, qui ne succombe pas au dogmatisme ni ne s'évade dans un monde irréel. Selon leur profil psychologique établi par l'IMPM, les artistes sont typiquement et paradoxalement « plus malades » et « plus sains » que le commun des mortels. Ils sont « plus malades », car bombardés d'idées et de fantaisies ; « plus sains », car capables de les dominer et d'en tirer quelque chose de nouveau et d'utile. À titre d'exemple, écoutons Edwin Land (l'inventeur du Polaroïd) décrire son processus d'invention[9]:

> *J'estime très important de travailler intensément pendant de longues heures lorsque m'apparaissent des solutions à un problème. Il me semble alors* déborder de talents ataviques. *On jongle avec tant de variables à un niveau* quasi inconscient *qu'on ne peut pas se permettre de s'interrompre. Si on vous interrompt, il se peut qu'il vous faille un an pour refaire le même chemin que vous auriez autrement couvert en soixante heures.*

---

9. Cité dans F. Wesley et H. Mintzberg, *Visionary Leadership and Strategic Management*, vol. 10, 1989.

Retournons à nos sujets : « Des fois, il a beaucoup de mal à distinguer la réalité de la fantaisie. Utilise la fantaisie pour surmonter l'angoisse. » Veut-on dire qu'il est « timbré » ? Plus ou moins, mais pas vraiment. Savez-vous que certaines personnes rêvent en couleurs et d'autres en noir et blanc ? Que certaines ne semblent jamais rêver, endormies ou éveillées ? Que certaines *détestent* littéralement les rêveurs ? Une riche vie fantaisiste n'est pas synonyme de folie, sinon peut-être le genre de « folie » que Platon associait au poète. Avant de créer un monde nouveau, il faut pouvoir l'imaginer. Ou, selon Santayana : « Le progrès de l'homme comporte une phase poétique dans laquelle il imagine le monde, puis une phase scientifique dans laquelle il tamise et expérimente ce qu'il a imaginé. »

Deux des sujets ont révélé un degré important d'« autisme » dans leur profil IMPM. Fantaisie. Vivant dans un monde à eux. Souvent solitaires. Mais si nous sommes trop entourés et que nos journées se passent à régler des problèmes urgents, quand pouvons-nous penser ? Il leur faut périodiquement s'éloigner de l'affairement et du bruit, ne serait-ce que mentalement.

Ils sont tous des non-conformistes. Mais non pas pour les choses sottement superficielles comme le vêtement – de ce côté-là, ils sont conservateurs – ou les causes qu'ils embrassent. Ils sont non conformistes au sens profond, c'est-à-dire qu'ils s'écartent des façons de penser classiques et communes, anciennes ou modernes. Ils ne tiennent presque rien pour acquis. Ils sont donc très ouverts aux idées, aux associations nouvelles que d'aucuns considèrent comme la condition indispensable à la créativité telle que « voiture sport » et « père de famille » ou « instantané » et « photographie ».

Bref, nos artistes sont émotifs et changeants, inconstants et drôles. Ils sont non conformistes et frustrés par l'évangile avec un petit « é ». Ces caractéristiques, traits de leur fonctionnement psychologique fondamental, signifient qu'aux yeux du monde extérieur ils apparaissent imaginatifs, intuitifs et visionnaires ; audacieux, aventureux et entrepreneuriaux dans leur comportement et, par conséquent, pour certains, stimulants. Ils aiment le monde et sont donc « inspirateurs ». Sentiment, façon de penser et comportement forment un tout, comme je le soulignais plus haut. L'ensemble constitue le caractère, en l'occurrence le caractère artistique.

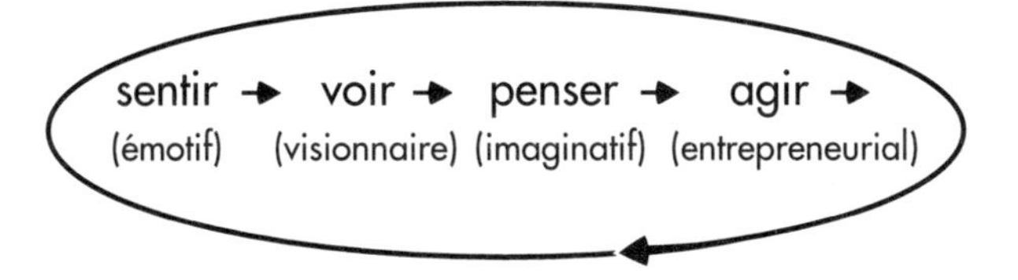

Figure 2. Le caractère artistique

Comment imaginer qu'un être qui n'est pas changeant et inconstant puisse être intuitif, visionnaire et entrepreneurial ? Mystère et boule de gomme !

Certains lecteurs, j'en suis sûre, flairent déjà le talon d'Achille...! – il leur faudra patienter jusqu'au chapitre VI. Pour l'instant, nous nous tournerons vers le compagnon de route de l'artiste, celui avec qui il forme une société d'admiration mutuelle : l'artisan.

Chapitre II

La sonate[1]

Les artisans

Son intelligence était grande et puissante, sans être de tout premier ordre; sa pénétration était profonde, sinon aussi juste que celle d'un Newton, d'un Bacon ou d'un Locke; et, pour ce qui n'échappait pas à sa clairvoyance, aucun jugement n'était plus sain. Le trait le plus marquant de son caractère était peut-être la prudence... Son honnêteté était la plus pure, sa justice la plus inflexible que j'aie connue...

Description de George Washington
par Thomas Jefferson[2]

Calme, d'ordinaire, à moins d'être exaspéré par l'injustice ou la stupidité. Sérieux. Solide. Raisonnable. Sage. Mesure ses mots; illustre ses principes d'histoires vécues. Écoute. Soupèse. Hésite. Causer avec lui est un plaisir – un vrai plaisir. Il ne commence pas par dire : « Bon, qu'est-ce que tu veux savoir ? » Il prétend ne rien savoir à la perfection et ne comprend pas que je veuille lui parler. Il n'est pas un esprit spéculatif et, croyant que je le suis, il croit n'avoir rien à dire. En fait, il a plein de choses à dire, mais il faut savoir lire entre

1. Pièce à trois ou quatre mouvements présentant une structure caractéristique (*Nouveau Petit Robert*, Paris, Le Robert, 1993, p. 2112).
2. Cité dans John Saul, *Voltaire's Bastards*, New York, Penguin Books, 1992, p. 67.

les lignes. « Alors, je lui ai dit qu'il ferait un excellent consultant, mais qu'il était nul comme gestionnaire. » Banal, non ? Le hic, c'est qu'il parlait à son patron.

Quand m'est venue l'idée de l'artisan, la métaphore que je filais dans ma tête était celle du menuisier. J'aime le bois. C'est doux au toucher. L'homme qui a construit notre maison s'appelle Gaétan Roy. Il est menuisier. Il a la clé de la maison depuis huit ans. Il est très digne de confiance. Il siffle en travaillant – même le dimanche à minuit, parce qu'il a promis (on peut s'y fier) de faire le travail. (Ce n'est pas ma faute. Je ne lui ai pas demandé de rester !) Il aime ce qu'il fait et il l'a fait toute sa vie. « Gaétan, est-ce qu'on peut utiliser du pin pour le plancher ?

— Vous n'aimerez pas ça. C'est trop mou. Je peux vous avoir de l'épinette à meilleur prix. C'est plus résistant. »

Il est direct, économe.

« Gaétan, pouvez-vous couper ces rondins pour le revêtement du mur ? »

Il fronce les sourcils, sceptique.

« J'pense pas, mais j'vais demander aux gars du moulin. »

Il ne prétend pas tout savoir et n'en est nullement gêné.

« Gaétan, combien je vous dois ?

— J'ai compté 42 heures.

— Voici votre chèque. »

Il est honnête. Je n'éprouve pas le besoin de vérifier ses heures.

« Gaétan, j'aime beaucoup ce que vous avez fait dans l'escalier.

— Ça m'a pris un peu de temps pour trouver comment faire. »

Il est modeste, ne s'accorde aucun mérite pour son esprit d'invention, mais il est fier de son travail.

Les trois grandes caractéristiques de l'artisanat sont la fierté, la dextérité et la qualité. Je ne saurais mieux dire qu'Osborne, qui a écrit dans le *British Journal of Aesthetics*, que l'artisanat

> *suppose une* authentique fierté *dans le processus de production, qui pousse l'artisan à travailler du mieux qu'il peut, quelle qu'en soit la récompense économique. Selon les anthropologues, cet instinct, base du véritable artisanat, existe depuis les tout premiers stades de l'activité humaine... C'est cet instinct, ce culte de l'*excellence *qui, à travers l'histoire et la préhistoire, a perpétué les traditions de l'artisanat, riches réservoirs de* savoir-faire.

Voilà une citation particulièrement intéressante. Fierté dans le processus de production – cela n'évoque-t-il pas la vieille maxime : si ça mérite d'être fait, ça mérite d'être bien fait ? C'est l'instinct de base de l'artisan. Il n'a pas besoin de suivre de cours sur le sujet. Les *riches réservoirs de savoir-faire* – les gens, surtout les artisans, sont ces riches réservoirs, les porteurs du savoir-faire. Qu'est-ce donc que le savoir-faire et comment l'acquiert-on ? Le dictionnaire le définit comme la compétence, l'expérience dans l'exercice d'une activité. Il traduit *skilful* par *habile*, *adroit* et *skilled* par *qualifié*, *spécialisé*. Adroit veut dire *qui a de l'adresse dans ses activités physiques*. Toutes ces définitions renvoient à l'expérience, l'expérience acquise sur le tas. L'artisan est fier d'utiliser la somme des techniques qu'il a accumulées pour produire un travail de qualité. Ce n'est pas un amateur.

L'artisanat, c'est aussi la différence entre l'utilisation d'un outil et d'une machine. Avec l'outil, l'homme domine la production du début à la fin. Il n'y a pas de coupure radicale entre pensée et action, planification et exécution ; l'outil entraîne de petites irrégularités et imperfections qui font que chaque produit diffère légèrement du précédent. Les diverses essences de bois – pin, merisier, noyer, acajou – réagissent différemment à l'outil. Au fil des ans, on apprend à les distinguer et à employer la technique qui convient à chacun. Osborne poursuit :

> *En règle générale, les outils et les machines sont des objets destinés à alléger l'obligation constante de l'homme d'adapter l'environnement à ses besoins et d'améliorer ses conditions de vie. Nous disons «outils» quand il s'agit d'objets simples destinés à étendre le pouvoir de l'homme sur l'environnement. L'artisanat tient en partie à la compréhension qu'a l'homme des outils de son métier, et à la technique et à la dextérité qui lui permettent de les utiliser le plus avantageusement possible...* Le bon artisan, dit-on, ne blâme pas ses outils... *Le bon artisan sait quels sont les outils propres au travail à exécuter et comment les utiliser. C'est ce qui distingue le bon artisan de l'amateur.*

J'aime à penser que les idées et les systèmes de gestion, comme la gestion de la qualité totale et la « réingénierie », sont les outils – et les employés, le bois (donnez sa chance à la métaphore, je vous en prie; je ne veux pas dire que les employés sont des têtes de pioche). Les conditions et les employés réagissent différemment à l'« outil » ; il faut donc un outil différent pour chacun d'eux. Il n'y a pas d'outil universel pour tout le monde et en toute circonstance. Les outils ne sont pas des machines. L'artisan fait la différence, juge, sélectionne et utilise l'outil approprié au bois, au temps et à l'objectif. Si ça ne fonctionne pas comme il l'espérait, l'artisan ne blâme pas l'outil ni le bois; il s'en prend à lui-même et à son jugement. On n'est pas artisan du jour au lendemain. Il ne suffit pas de lire sur le sujet. Il faut *mettre la main à la pâte*. Vous saisissez ? Maintenant, voyons les artisans dans l'organisation.

Ils sont six. Ils ne se ressemblent pas physiquement. Comme les artistes, ils n'ont ni le même âge ni le même degré d'instruction – comptables, titulaires de maîtrise de gestion, historiens, apprentis et un titulaire d'un doctorat d'État.

Ils sortent des meilleures écoles au monde ou d'aucune. Ils appartiennent à des cultures très diverses : britannique, américaine, canadienne, québécoise, écossaise. De tempérament, ils sont un peu différents, mais pour l'essentiel ils se ressemblent.

Voici, selon le schéma (voir p. 64), comment on les perçoit. Au centre, littéralement empilés les uns sur les autres, on aperçoit les adjectifs suivants : posé, raisonnable, digne de confiance, sensé, poli, responsable, réfléchi, prévisible, stable et équilibré. À l'ouest, conventionnel. Vers le nord, contrôlé et conservateur, ponctuel, travailleur, informé. Au sud-ouest : direct, dévoué, honnête, sage, aimable, obligeant, humain et ouvert d'esprit. Qui ne voudrait pas d'un tel profil ? Peut-on imaginer l'un d'eux se précipitant pour acheter une Corvette et troquant sa femme et ses enfants contre un tendron ? Jamais, pas même dans cent ans. Peut-on l'imaginer effectuant une conversion soudaine ? Que croyez-vous qu'il pense des engouements pour la gestion ?

Pour connaître leur vraie nature, nous répéterons l'exercice que nous venons de faire avec les artistes. Nous regrouperons (libre à vous d'ergoter sur les divisions) les adjectifs selon qu'ils qualifient le comportement, la façon de penser ou le tempérament. Comportement : travailleur, dévoué, prévisible, obligeant, humain, poli et ponctuel. Il travaille fort : de longues heures s'il y a urgence; des heures régulières, disons dix heures par jour, autrement. Il fait ce qu'il estime nécessaire pour l'entreprise – son succès lui tient à cœur –, mais c'est *sa décision, son jugement*. Pas une règle. Il ne reste pas au bureau le samedi pour impressionner quiconque. Il est prévisible; on peut compter sur lui pour qu'il soit où il a promis d'être et qu'il fasse ce qu'il a promis. Il surprend rarement et n'a jamais de caprices.

Pour faire son travail, il doit passer par d'autres et collaborer avec d'autres; il est donc obligeant. Comme un

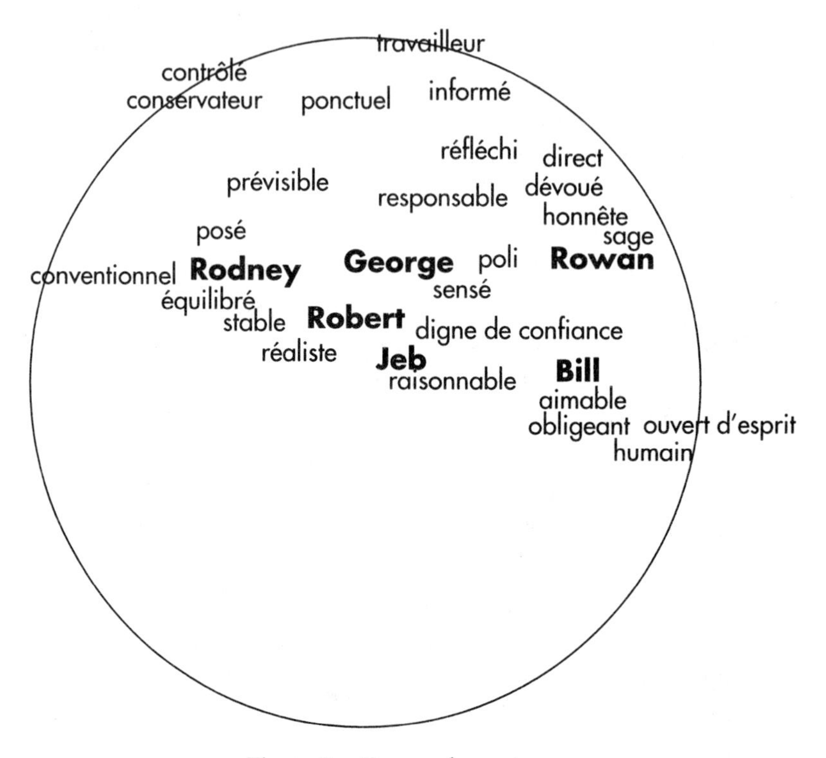

Figure 1. «Carte» des artisans

maître avec son compagnon, il est humain, mais ferme : « Non, ce n'est pas comme ça. Essaie de nouveau. » Il ne se met pas en colère si on fait une erreur. Il s'attend qu'on en fasse. L'un m'a dit : « Il faut du temps pour souder une équipe et régler les problèmes. Les hommes ne sont pas des machines qu'on peut allumer et éteindre. » Par respect pour ses collègues, il est poli et ponctuel. Il ne lui viendrait pas à l'idée de faire attendre parce qu'il ne veut pas qu'on pense qu'il se croit plus important. Il n'est pas narcissique.

Façon de penser : informé, réfléchi, réaliste, sensé, sage, ouvert d'esprit, conventionnel et conservateur. Bien informé d'abord : cinq des six (l'un est arrivé récemment) travaillent depuis toujours dans la même industrie. Ce n'est pas étonnant. Osborne nous dit que « le vieil artisan possédait un métier gagné de haute lutte; du fait de baigner toute sa vie dans une tradition séculaire, il avait une connaissance tacite des matériaux et des outils, des techniques et des habiletés héritées, des principes de conception et la fierté de l'excellence ». Quand vous les rencontrez, ils vous disent : « Je suis assureur » ou « Je suis banquier », et *non pas* : « Je travaille dans une banque », comme s'ils allaient ajouter « pour l'instant ». Ils s'identifient à leurs traditions et en sont fiers. Ils ont une connaissance intime de ce qu'elles sont, de leur évolution et des raisons qui les expliquent, mais ce sont parfois des trucs du métier qui ne se traduisent pas en paroles.

Réaliste et sensé. J'accouple les deux adjectifs pour accoucher d'un troisième, un « bon jugement ». Pourquoi disons-nous d'un homme ou d'une action qu'ils sont « réalistes » ou « sensés » ? Voyons ! Nous disons des « chaussures qui ont du bon sens » pour signifier qu'elles sont confortables, utiles, pratiques pour la marche, par exemple. Nous tentons d'établir une distinction entre elles et, disons, des escarpins. Il y a donc une idée d'adéquation dans le mot « sensé ». Prenons un autre exemple : « Je voulais aller à Tahiti, mais vu l'état de mon compte en banque, j'ai décidé d'aller en Floride. – C'était *sensé.* » Que voulons-nous dire par là ? Je pense que nous voulons parler d'« être conscient de ses limites », en l'occurrence, de sa limite de crédit. Nous aurions pu dire « c'était *réaliste* », mais il me semble que réaliste a une autre connotation. Comme l'indique la racine du mot, nous parlons alors de ce qui est conforme à la *réalité*, à la vérité, aux faits et non pas à une illusion. J'aimerais être ballerine, mais à 44 ans ce n'est plus « réaliste » ! L'esprit veut, mais la chair, oh ! la chair... Si on rassemble tout ça – raisonnable, pratique, limites, conforme à la réalité –, je pense qu'on arrive au bon jugement.

Si on accole bon jugement à réaliste et sensé, puis à informé, on obtient « sage ». Le dictionnaire définit la « sagesse » comme le «*jugement* résultant de la *connaissance* et d'une longue *expérience*». Les jeunes sont rarement sages; c'est l'une des rares compensations de la vieillesse. Parce qu'il faut du temps et beaucoup, beaucoup d'expérience pour être sage – et encore, ce n'est pas garanti. Le temps est indispensable, mais il n'est pas la seule condition. Il y a des gens qui ne s'assagissent jamais, soit parce qu'ils oublient le passé, soit parce qu'ils ne vivent que dans le futur, ou les deux. « Le progrès, loin de résulter du changement, dépend de la mémoire. Ceux qui ne peuvent se rappeler le passé sont condamnés à le répéter. » Ils sont incapables de tirer les leçons de l'expérience. Soit parce qu'ils ne restent jamais à la même place, soit qu'ils ne font jamais une chose assez longtemps pour la connaître à fond. Ce sont les mouches du coche, ou des dilettantes. Quoi qu'il en soit, l'artisan est assez sage pour savoir que le passé se répercute sur le présent et l'avenir.

Ses visions sont réalistes et, par conséquent, à moyen terme, aussi bien pour le passé que pour l'avenir. Il sait d'où il vient et où il va. Il voit bien le paysage. Il peut voir jusqu'au sommet de la prochaine colline, mais non pas la vallée qui est au-delà. Ses rêves sont ancrés dans le présent et le très proche avenir. Si nous regardions de nouveau le tableau de Dali et que nous mettions en regard le produit de l'artisan (voir p. 68-69), de quoi aurait-il l'air? Premier changement : l'horizon lointain n'est plus visible, même si la forme dans son ensemble ou la configuration du dessin restent les mêmes. Les artisans aiment garder l'intégrité structurale du dessin. Ils croient dans la stabilité; les gens ordinaires, pensent-ils, doivent faire confiance à leur carte pour s'orienter. Deuxièmement, il y a plus de gens et d'arbres dans le dessin; il est plus vrai, plus réaliste. Finalement, les bâtiments sont de formes différentes; l'artisan n'a pas épousé l'uniformité – différents outils, différents bois.

Puis nous en venons aux trois adjectifs déroutants : conservateur, conventionnel, ouvert d'esprit. Ils peuvent sembler contradictoires, mais je veux que vous pensiez continuellement à ces trois mots, en disant à peu près « le changement si nécessaire, mais pas nécessairement le changement ». Les artisans observent une tradition et la tradition implique une certaine inertie. Si le poids du passé est très lourd, dans le catholicisme par exemple, le changement est lent. Si la tradition est plus récente, comme dans la musique rock, le changement peut être plus rapide. Certains individus sont plus enclins que d'autres à remettre en question la tradition. Et cela peut dépendre de la situation ou du sujet. Je peux être très « traditionnelle » et penser qu'il appartient aux hommes de mettre la poubelle à la rue, et en même temps être très « ouverte » pour ce qui est de la garde des enfants. Les artisans occupent le continuum : ils sont conventionnels, voire conservateurs, pour certaines choses et ouverts pour d'autres. Si on les pousse, ils jouent des coudes, s'entêtent et se braquent. Si on les cajole, ils écoutent. Si on les stimule, ils s'ouvrent. Sur les questions de principe, ils peuvent être carrément butés, comme George Washington.

Tempérament : direct, honnête, responsable, aimable, posé, bien équilibré, constant et contrôlé. Prenons direct et honnête. L'artisan dont j'ai parlé plus haut, qui disait à son patron qu'il ferait un excellent consultant mais qu'il était nul comme gestionnaire. Il ne l'a pas dit pour jouer au plus fin, provoquer, insulter ou être insubordonné. Il l'a vu, l'a cru et l'a dit – naïvement peut-être, mais honnêtement. Pas de jeu. Pas de duplicité. Ce que vous voyez est ce que vous obtenez. D'ordinaire aimable, calme et posé, il devient de plus en plus

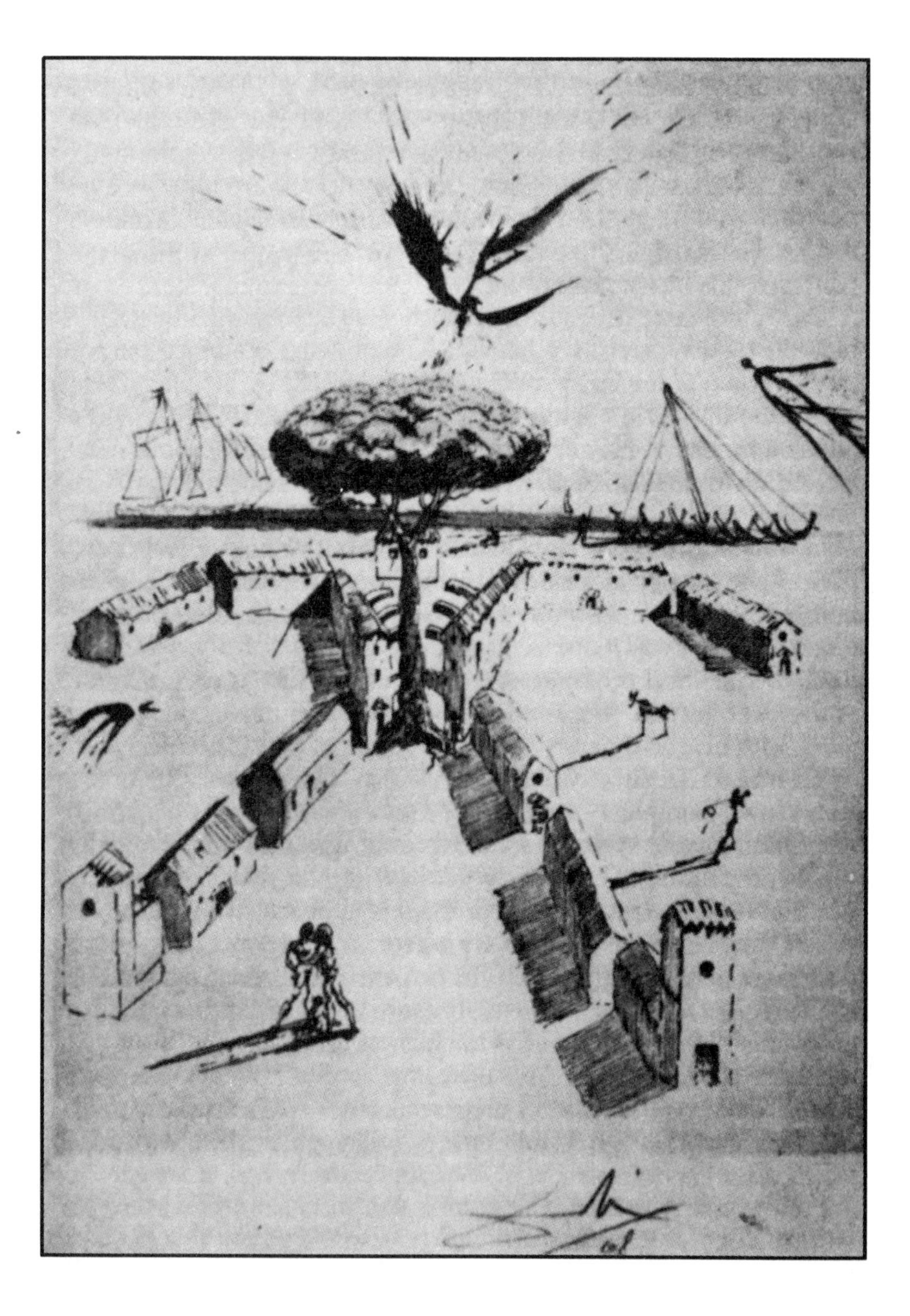

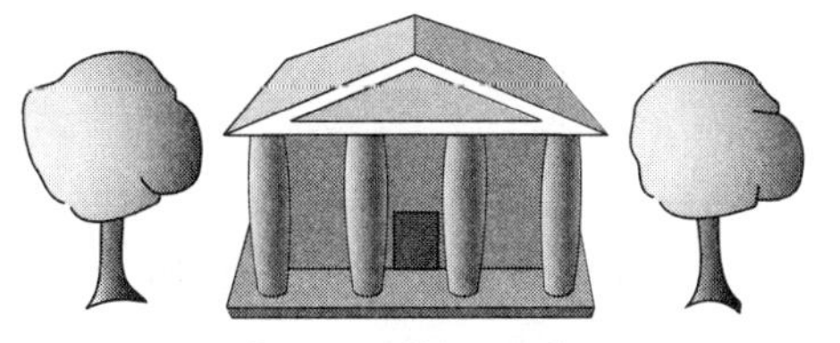
Banque du Royaume-Uni

Banque des Caïmans

Banque de Hong Kong

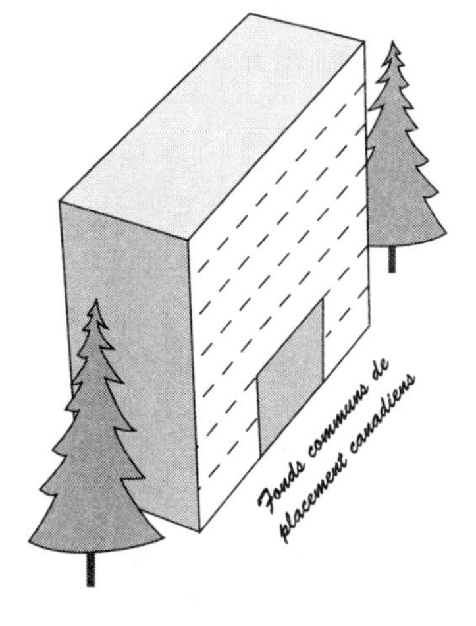
Fonds communs de
placement canadiens

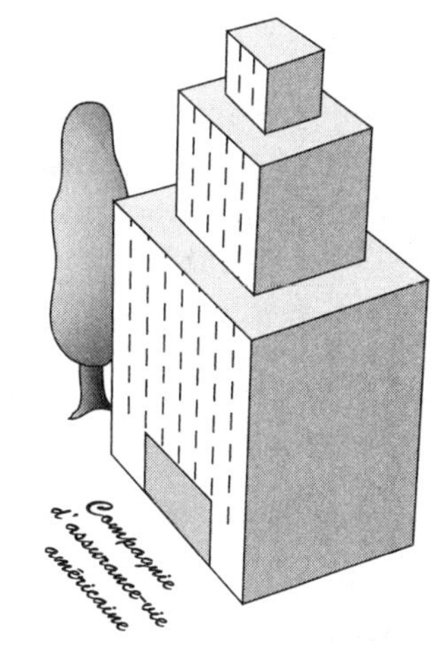
Compagnie
d'assurance-vie
américaine

intransigeant, de plus en plus têtu, si les principes auxquels il croit fermement sont menacés. De même qu'ouvert et conservateur, « aimable » et « contrôlé » existent en continuum chez ces hommes qui sont, dans certains cas, plus conservateurs et contrôlés qu'aimables et ouverts.

Ces qualités font des artisans des hommes « dignes de confiance ». Ils sont fiables et honnêtes, généralement prévisibles, toujours sensés et réalistes. On leur fait confiance. Ils inspirent une magique « loyauté » parce qu'ils en sont la preuve. On n'est pas emballé à l'idée de travailler pour eux ; on éprouve du plaisir à travailler avec eux. Du moins, pour certains.

Vie intérieure

Je suis tentée de dire « rien », « zéro », « *nada* », « que dalle », mais ce n'est pas vrai. Ce n'est qu'en regard de la riche vie imaginative de l'artiste que celle de l'artisan semble vide. Fondamentalement, l'artisan ressemble à monsieur Tout-le-monde. Voici une interprétation typique du matériel de l'IMPM :

> *Ce doit être un artisan. Très plat* [courbe]. *Doux, gentil, renfermé. Laisse vivre le monde. N'a pas de récriminations sérieuses. Aime le monde.*

Il arrive que ces commentaires s'appliquent à l'un des plus gentils des artisans, mais aucun d'eux n'a « de récriminations sérieuses » contre le monde. En principe, ils aiment la vie et la trouvent enrichissante. Ils sont optimistes, sans excès, d'un optimisme calme, mesuré. Ils considèrent que les choses vont s'arranger à la fin. La preuve est faite que les gens soi-disant « normaux » voient la vie légèrement en rose. Il semble que nous soyons tous nés avec un thermomètre d'optimisme – câblés – et celui des gens « normaux » est réglé juste un peu trop haut à la naissance[3]. C'est comme si on savait que la vie serait peut-être un peu trop dure autrement.

« Aime le monde » ; parlons-nous de sentimentalisme exubérant ? Pas du tout. Les artisans congédient. Ils congédient les paresseux parce que les paresseux ne motivent pas les gens responsables. Ils congédient les insubordonnés – ils croient dans la hiérarchie et dans l'autorité. Ils ne sont *pas* autoritaires, mais l'idée que l'apprenti puisse mener le maître artisan est une contradiction dans les termes, illogique, irréaliste. Ils sont sans pitié pour les révoltés chroniques qui s'intéressent davantage à contester l'autorité qu'à faire le travail[4]. Mais ils *n'aiment pas* congédier les gens ; ce ne sont pas de sadiques. Ils n'en tirent pas non plus de fierté macho. L'un d'eux m'a dit :

> *L'enfant de chienne m'a appelé l'autre jour et il a ouvert la conversation en disant: «Combien d'employés as-tu mis à la porte aujourd'hui ?» J'ai raccroché. C'est dégoûtant.*

Cet homme avoue « cacher » de l'argent dans son bilan ; « il est si bien caché qu'ils ne le trouveront jamais ; je suis *seul* à pouvoir le trouver ; je l'utilise pour former *mes* gens ». (Si le « mes » sent le paternalisme, c'est qu'il l'est ; quant à moi, je pense que c'est bien.) Un autre a ajouté :

> *... les employés sont la plus grande ressource de l'entreprise. Et il s'agit d'une institution importante. Ils aiment sentir qu'ils font partie de quelque chose d'important, avoir un sentiment d'appartenance, de la* fierté.

---

3. H. A. Sackheim, « Self-deception, Self-esteem, and Depression : The Adaptive Value of Lying to Oneself », dans J. Masling, éd., *Empirical Studies of Psychoanalytics Theories*, New Jersey, Erlbaum, 1983.

4. Voir Laurent Lapierre, « Le ménagement : ménager, faire le ménage et se ménager », dans *Gestion : Revue internationale de gestion*, vol. 17, n° 4, novembre 1992. Citation que Lapierre n'attribue pas à l'artisan, mais je prétends qu'il parle de l'artisan. Il est d'accord. En général, l'artiste n'est pas assez près des opérations quotidiennes et des gens pour leur prêter attention.

Ni l'institution ni ses employés n'ont pour eux de valeur purement accessoire; ils ne les utilisent pas pour atteindre un autre but comme le prestige ou le pouvoir. L'institution a une valeur intrinsèque.

Les artisans ne sont pas particulièrement « émotifs » ; l'adjectif « réservés » les décrit mieux car ils affichent peu d'émotion. Ils sont très loin d'être sentimentaux, mais ils *tiennent compte* des gens. Ils leur prêtent attention. Ils investissent en eux. Et ils aiment qu'on les conteste. Un artisan m'a avoué à propos d'un vice-président congédié (un homme difficile, mais très brillant) : « Il avait son franc-parler. Je donnerais n'importe quoi pour avoir un type comme lui autour de moi. Il vous ramenait sur terre. Il n'était pas toujours d'accord avec vous. » Mon interlocuteur avait pourtant l'une des pires évaluations des artisans pour l'« ouverture d'esprit ».

Les artisans se connaissent. Ils savent qu'ils ne sont pas des visionnaires – sinon à moyen terme –, mais il n'en sont ni déprimés ni diminués pour autant. Ils s'estiment. Ils connaissent leurs limites et leurs forces. Ils sont réalistes à leur sujet comme ils le sont à propos des affaires et de la vie en général. Ils aiment les artistes et pensent que toute organisation en a besoin. L'un d'eux m'a dit :

> *Les bénéfices viennent de la vision et des gens. James et Cobb avaient de la vision...* [Si vous avez de la vision] *et que vous prenez soin des gens, les bénéfices suivent. Vous ne pouvez pas les rechercher directement.*

Ils travaillent facilement avec les artistes, rient de leurs blagues, sont quelquefois frustrés par leur manque d'attention aux détails, mais ils « donneraient n'importe quoi pour avoir un type comme ça autour d'eux ». Voilà donc l'artisan, le caractère artisanal.

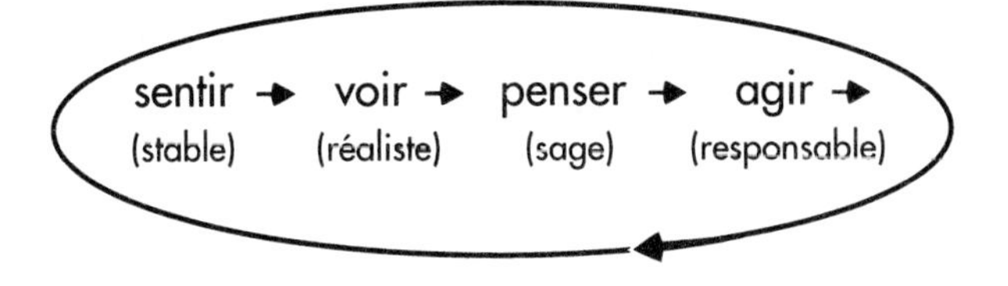

Figure 2. Le caractère artisanal

Encore une fois, comment imaginer qu'un être stable, réaliste, sage et responsable puisse être ou apprendre à être passionné, spontané, intuitif – qualités du soi-disant leader visionnaire ?

Je laisse à Osborne le soin de tirer la conclusion : il s'exprime mieux que moi. À propos de l'artisanat, en général :

> *Si les artisans qui sont encore à l'œuvre dans le monde peuvent faire quelque chose pour maintenir le culte de l'excellence, la fierté dans le travail bien fait, et le respect de la qualité, alors leur contribution à la société contemporaine sera vraiment plus que justifiée. Ils ne sont pas un* anachronisme, *mais l'une des rares forces qui peuvent encore endiguer la détérioration et la déshumanisation de la vie contemporaine... Et dans tout le champ de l'artisanat, il y a une délectation esthétique dans l'appréciation de l'habileté professionnelle appliquée économiquement à la réalisation d'un but pratique, tandis que la* virtuosité *déployée gratuitement suscite la même sorte de répugnance que toute autre forme d'exhibitionnisme.*

Nous allons maintenant rencontrer le virtuose qui *estime* que l'artisanat est un anachronisme.

Chapitre III

Le chant funèbre

Les technocrates

— Oh! Oh! maintenant je sais qui vous êtes. Vous êtes partisan de la Connaissance utile.
— Certainement.
— Eh bien! permettez-moi de me présenter comme partisan du Savoir d'apparat. Vous voulez que l'esprit soit une belle machine, faite pour travailler efficacement et rigoureusement, sans accessoires ni pièces inutiles. Je veux que l'esprit soit une poubelle de retailles de tissus brillants, d'étranges pierres précieuses, de curiosités sans valeur mais fascinantes, de clinquant, de bizarres découpes de sculpture et d'une somme raisonnable de saines ordures. Secouez la machine et elle est hors de service; secouez la poubelle et elle s'adapte merveilleusement à sa nouvelle position.

Robertson Davies,
Tempest-Tost

Le mot « technocrate » peut être trompeur. On a tendance à confondre le technocrate avec le bureaucrate, qui travaille (ou fait mine de travailler) pour le gouvernement. La définition que je retiens est plus précise : « Technicien tendant à faire prévaloir les conceptions techniques d'un problème au détriment des conséquences sociales et humaines. » Par exemple : « Je comprends que vous risquez de perdre votre maison, mais le manuel m'interdit toute exception. » Le technocrate peut travailler rapidement ou lentement, être dévoué ou paresseux, hautement intelligent, voire brillant, ou tout ce qu'il y a de moyen. L'essentiel, c'est l'attachement aux règles, écrites ou non. Les règles non écrites sont autrement connues sous le nom de conventions.

Mon groupe de technocrates est en apparence très varié. Les uns sont lents, même lourds dans leur façon de penser et leurs manières. Les autres sont des lièvres ; ils courent, parlent, pensent vite et confondent la concurrence. Ils sont grands, petits et moyens. Ils ont occupé divers emplois dans leur carrière : ingénieurs, consultants, comptables, « gestionnaires » de types très différents d'organisations. Les uns sont érudits, les autres le sont peu. Ils sont collectionneurs d'art[1] – standing oblige, n'est-ce pas ? Les uns sourient, les autres pas, mais en affaires, ils ne rigolent pas. Comme l'un m'a dit : « Je ris autant que quiconque – à la maison. Au travail, c'est autre chose. » Ils ne sont pas « drôles ».

Ils sont austères. Ils détiennent la Vérité. Ils méprisent ceux dont le raisonnement n'est pas à la hauteur, dont la logique est infectée et corrompue par la passion. Familièrement, on dit du technocrate que « son esprit est un piège d'acier ». On s'y prend comme dans un étau. Esprit froid, sans remords, fatal. Les technocrates ne se laissent pas connaître facilement. Un artisan, qui a travaillé avec eux pendant des années, m'a avoué, frustré : « Ils sont mystérieux. Je ne peux pas les déchiffrer. » J'en connais personnellement depuis une dizaine d'années ; je n'arrive pas non plus à les déchiffrer. On a l'impression de parler à un mur ; on peut essayer de le franchir, mais de l'autre côté on se retrouve dans une pièce

1. Cet intérêt pour l'art peut avoir des motivations plus sincères. Il se peut que l'art soit considéré par le technocrate comme l'un des lieux légitimes du sentiment. Il va de soi que je ne laisse nullement entendre que tous les collectionneurs d'art sont des technocrates, mais il me semblait quand même préférable d'ajouter cette note.

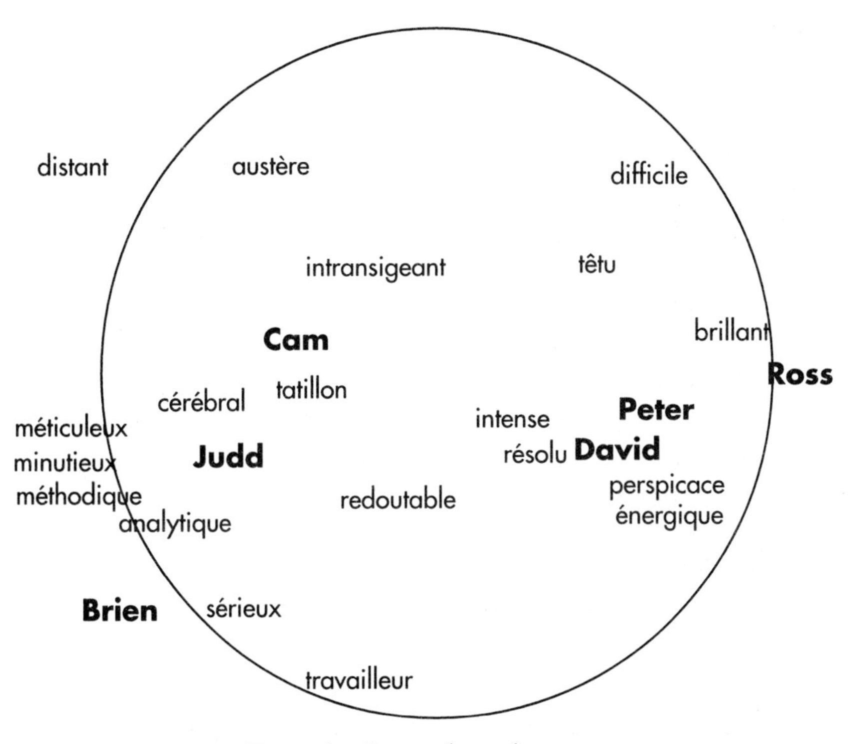

Figure 1. «Carte» des technocrates

vide. On s'en irrite, on s'en émeut, alors ils vous rejettent à cause des émotions qu'ils ont eux-mêmes provoquées. C'est un cercle vicieux.

Voici comment les perçoivent leurs amis et ennemis, administrateurs et collègues. Au centre : redoutables, intenses, résolus, intransigeants, tatillons, cérébraux, têtus. Vers le sud, ils sont, un peu comme l'artisan, travailleurs et informés. À l'extrême ouest, sérieux, analytiques, méthodiques, minutieux, méticuleux. Vers le nord, distants, austères. Au nord-est, difficiles. Plus vers le sud, brillants, perspicaces, énergiques. Ainsi, de l'extrême ouest à l'extrême est, on passe de lourds à lièvres. Voilà le genre de différences qui semble exister entre, disons, Cam et Ross, mais c'est trompeur.

La brillance et la perspicacité, par exemple, peuvent passer – et passent souvent – pour de la vision.

Va pour analytique et méthodique, voire sérieux et brillant. Perspicace serait certainement louangeur si l'épithète était accouplée à honnête. Presque tous ces qualificatifs, individuellement ou en paires, sont flatteurs. L'ensemble est un syndrome : le technocrate.

Comportement : méthodique, tatillon, intransigeant, difficile, résolu, énergique, travailleur. Un administrateur dit d'un technocrate :

> *Très méthodique, scrute les projets à la loupe. Obstiné. Imbu de lui-même. Estime que tout le monde devrait penser comme lui. Très arrogant. Organisé. A apporté les notes qu'il avait prises à une réunion il y a six mois et a demandé ce qu'on avait fait dans l'intervalle.*

Ce n'était pas un observateur de passage ; il connaissait le sujet depuis quinze ans. Ce qu'il m'a confié, il n'avait et n'aurait jamais osé le dire en public. Il était intimidé par lui et savait d'expérience qu'il ne durerait pas longtemps s'il ne gardait pas ses critiques pour lui.

Méthodique, tatillon, « exagérément minutieux, exigeant, attaché aux détails[2] ». Il « scrute les projets à la loupe ». N'est-ce pas prudent, sage, diriez-vous ? Alors, répondrai-je, pourquoi personne ne le dit *sage* ? Non, il ne s'agit pas de prudence normale. C'est de la prudence poussée à la limite. C'est mettre les barres sur les « t » et les points sur les « i ». C'est tenter, désespérément, de se mettre à l'abri des erreurs.

Intransigeant. Non pas dans le sens de « loyauté absolue, inflexible » à quelque principe moral, mais dans le sens de *têtu, présomptueux*. Un autre administrateur rappelle un incident particulièrement désagréable au cours d'un comité avec ce technocrate :

---

2. *Nouveau Petit Robert*, Paris, Le Robert, 1993, p. 2215.

> *Nous étions tous en désaccord avec lui à la table. Puis, il s'est présenté au conseil et il a répété son point de vue comme si c'était celui du comité. C'était comme si la réunion du comité n'avait pas eu lieu !*

J'étais là et c'est bien ce qui s'est passé. Nous nous sentions comme Alice au pays des merveilles. Il était, c'est le moins qu'on puisse dire, « difficile » et « entêté ». Pourtant, jusqu'à maintenant, je ne crois pas qu'il l'ait fait exprès. Il était « têtu », au sens littéral du mot, au sens d'imperméable. C'était comme si ce que nous avions dit l'avait à peine effleuré, comme l'eau sur le dos d'un canard. Il était « résolu » à n'en faire qu'à sa tête.

Ils travaillent fort et sont énergiques. Non pas parce qu'ils sont zélés, mais parce que c'est une « règle » : on est censé travailler fort. La valeur se mesure au nombre d'heures qu'on passe à l'ouvrage et au peu de congés qu'on s'accorde. La vie est une affaire sérieuse.

Façon de penser : méticuleux, minutieux, analytique, perspicace, brillant. Les trois premiers vont naturellement ensemble. Si vous êtes méticuleux, vous faites attention aux détails. « Analyser » un problème, c'est le considérer sous tous ses angles et les mettre en regard l'un de l'autre, décomposer un peu artificiellement les éléments du phénomène. C'est ce que je fais maintenant. J'examine, j'analyse les divers éléments du caractère du technocrate pour comprendre son fonctionnement. Mais il y a des choses qu'il ne faut pas décomposer, au risque de perdre leur essence – tels une idée, un coucher de soleil, un poème. Gœthe s'emportait quand on lui demandait de quoi traitait son roman, *Werther*. Il estimait qu'il avait travaillé fort et longtemps pour en faire un tout cohérent et on lui demandait de le décomposer en éléments incohérents[3]:

---

3. Gœthe dans Schnier, *op. cit.*, p. 98 (traduction libre).

> *Cela m'irritait terriblement et j'en ai insulté plus d'un. Pour répondre à la question, il m'aurait fallu prendre le livre sur lequel j'avais réfléchi si longtemps pour fondre les éléments en un tout poétique, le déchiqueter et en détruire la forme.*

Si vous êtes attentif aux détails, vous serez vraisemblablement analytique, vous voudrez voir le fonctionnement complexe des divers éléments. Si vous vous appliquez à comprendre les divers éléments, ils vous deviendront sans doute très familiers. Et lorsque les divers éléments s'étaleront devant vous, vous pourrez peut-être déceler des erreurs. Alors, dira-t-on, vous êtes « perspicace ». « Ah ! oui, je vois. Ce détail m'avait échappé. Maintenant, je comprends. Comme vous êtes perspicace de l'avoir repéré ! » Au Ve siècle avant notre ère, un célèbre sophiste avait décelé des « erreurs » dans les premières lignes de l'*Iliade* d'Homère, ce qui lui avait valu de passer pour très « perspicace » aux yeux de tous, sauf de Socrate[4]. Il faut dire que Socrate n'aimait guère les sophistes et que le poème « fautif » d'Homère a quand même vécu un bon moment.

Pour ce qui est de la vision, revoyons Dali, cette fois avec des yeux du technocrate (voir p. 82-83). D'abord, il faut noter que l'ensemble du dessin va de soi aux yeux du technocrate ; l'analyse ne peut que suivre la création. Selon l'un d'eux :

> *Il n'appartient pas au chef de la direction de concevoir les idées; sa tâche, c'est de passer au crible et de mesurer les idées d'ailleurs ou d'un autre.*

Notons que cette citation reprend presque mot pour mot celle de Santayana : « Le progrès de l'homme comprend une phase poétique dans laquelle il imagine un monde futur et une phase scientifique durant laquelle il *passe au crible* et *fait l'essai* de ce qu'il a imaginé. » Ainsi, le technocrate

---

4. Platon, *Protagoras*, Paris, Librairie générale française, 1993.

analyse, décompose le dessin. Il découvre que l'arbre « n'appartient pas » au centre, que deux des immeubles sont délabrés et devraient être condamnés, que les courbes – et les gens – sont inefficaces et devraient être remplacées par des lignes droites et une échelle uniforme. Il n'y a pas d'arbres ici. Le dessin n'est pas très « réaliste ». Accessoirement, on ne voit plus l'horizon, trop envahi par les détails pour pouvoir lever les yeux vers un avenir distant et incertain ; en fait, il n'y a plus de route s'ouvrant sur l'avenir.

Si vous devenez très, très bon en analyse, on vous dira « brillant », comme « c'était une présentation brillante ». Le sens premier de l'adjectif *brillant* était reluisant, étincelant comme un diamant ; ce sens s'est enrichi de connotations de rigueur et de précision. Son affectation à l'esprit humain était rare avant le XVIIIe siècle. Est-ce un hasard ou une conséquence du siècle des Lumières ? Jefferson parlait de la grande « pénétration » de Locke, de Bacon et de Newton ; je pense qu'il voulait dire qu'ils avaient un esprit analytique puissant. Quoi qu'il en soit, tout ce qui brille n'est pas or – ni diamant. Chose certaine, les diamants sont durs – ils servent à percer le roc – et froids.

Affect, émotion : sérieux, distant, austère, intense, redoutable, cérébral. Ces hommes sont toujours aussi froids. La température de la pièce tombe de trois degrés quand ils y entrent. Tout le monde se tait et, d'ordinaire, cesse de sourire. Les visages prennent un air sérieux ; comme lorsque les enfants s'agitent en classe et que la maîtresse fait son apparition. « Bon ! Suffit, les enfants. Nous sommes ici pour travailler et pas pour nous amuser. » Ils sont distants et austères, c'est ce qui fait dire à l'artisan : « Ils sont mystérieux. Je ne peux pas les déchiffrer. » Voilà pourquoi, après bien des années, on ne les connaît pas mieux qu'avant. Des murs épais enferment leurs émotions. Or, au-delà de la pensée, c'est par le contact émotif que nous apprenons à nous connaître.

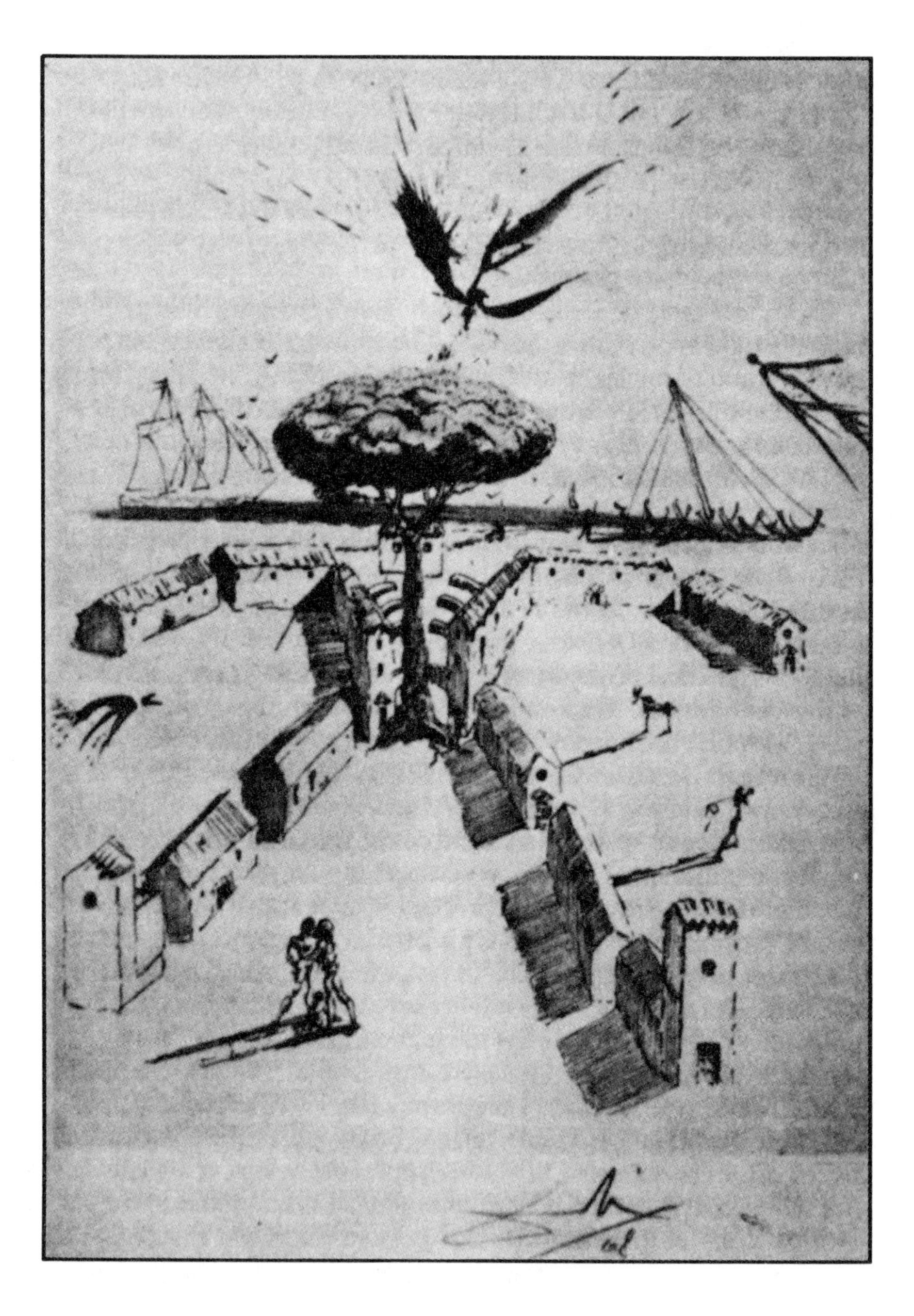

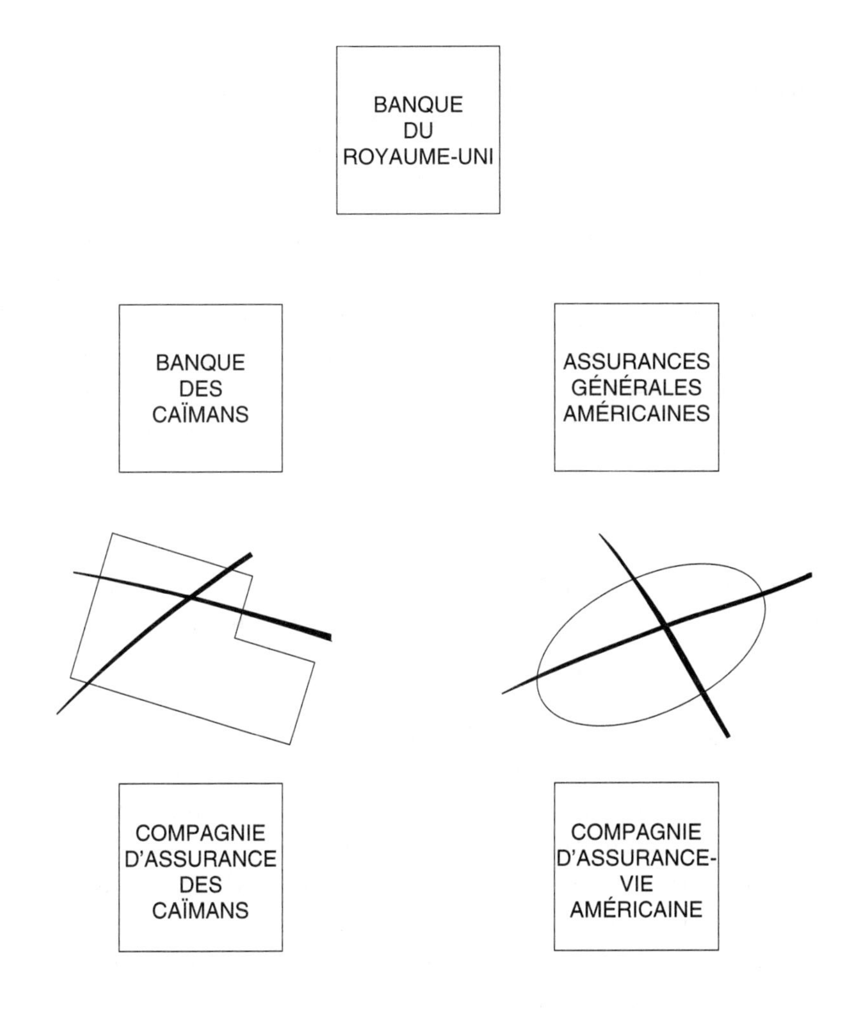
BANQUE
DU
ROYAUME-UNI
BANQUE
DES
CAÏMANS
ASSURANCES
GÉNÉRALES
AMÉRICAINES
COMPAGNIE
D'ASSURANCE
DES
CAÏMANS
COMPAGNIE
D'ASSURANCE-
VIE
AMÉRICAINE

Avez-vous déjà eu envie de faire de la lèche au « brillant » ? Que dites-vous d'un film de deuxième ordre, simplement pour vous détendre ? Invitez-vous le « brillant » ? Il est si intense, semble tellement maître de lui, prend tout – et surtout lui-même – tellement au sérieux que les adultes finissent par se prendre pour des idiots autour de lui. On en arrive à cérébral : *1) relatif à l'esprit; 2) intellectuel (par opposition à émotif*[5]*)*. Il se peut qu'on me donne tort d'avoir placé « cérébral » dans la liste de l'affect plutôt que dans celle de la façon de penser. Mais nous pensons tous. À la différence du cérébral, qui exclut l'affect, l'émotion – et justement, cette exclusion définit le mot. Un cérébral, dans notre vocabulaire quotidien, c'est celui qui, paradoxalement, transpire l'affectivité intense de son rejet de l'affect... Pourquoi ?

Vie intérieure

En un mot, par défense. L'affect est au cœur du caractère. Si nous avons peur, par exemple, nous élevons des défenses contre la crainte : fuite, combat, cachette, dénégation, oubli, sifflement (rappelez-vous, siffler dans le noir), attaque. Selon nos dons, notre choix de défenses et le milieu dans lequel nous évaluons, notre caractère se façonnera et nous déploierons des comportements « caractéristiques », des manières de penser, de réagir aux gens, aux situations, aux idées, au monde – raison pour laquelle les textes de psychiatrie affichent souvent dans leur titre les préfixes « bio, psycho, socio », dans l'ordre. Je ne vous infligerai pas de traité sur les origines profondes des technocrates que nous considérons. Je ne sais rien de leur dossier génétique, de leurs relations avec leur mère ou leur père, de leur intimité. Mais je parlerai de l'aboutissement – du psycho et de ses relations avec le socio.

---

5. *Le Petit Robert, op. cit.*

Voici l'interprétation que donne le psychologue clinicien (il ne savait pas de qui il s'agissait, ni ce que j'en pensais) d'un profil IMPM typique :

> *Le type est très défensif, psychiquement blindé. N'admet rien de sérieux. Plus sensible qu'il ne voudrait être perçu. Inquiet chronique. Des tas de choses se trament à l'intérieur de lui dont il n'est jamais question. Il y a un soupçon de créativité, mais – c'est la clé –, il est réprimé et rejeté. Sous le stress, il est paranoïde (ne fait confiance à personne d'autre que lui) et projette le blâme sur les autres. Il est isolé, irrité, tendu, froid, rigide, brillant – comme Eichmann.*

Et « brillant » resurgit donc. Comme il fallait s'y attendre, parmi les quinze, il se classait deuxième sous l'épithète « brillant ». Il venait loin en tête de liste pour « distant » et « austère » ; deuxième pour « intransigeant » et « difficile » ; et ne méritait aucun point pour « près des gens, aimable, excitant, chaleureux, généreux, décontracté, réaliste, ouvert d'esprit ». Les apparences – les adjectifs – reflètent le monde intérieur. Deux collègues technocrates le disent « inspirateur » ; tout dépend du point de vue où l'on se situe. Ils « s'identifient » à lui[6].

Examinons son profil de plus près pour mieux comprendre ce qui se passe. « Très défensif, psychiquement blindé. » Quand nous utilisons le mot « défensif » dans la vie de tous les jours, qu'est-ce que ça veut dire ? Prenons l'exemple suivant :

> *« As-tu renversé le lait ?*
> *— Oui, mais c'était tellement encombré sur le comptoir que je n'ai pas pu l'éviter; en plus, je t'ai demandé mille fois*

---

6. Dans le langage technique, on parle de « l'identification projective » : « Il est comme moi, quel brave type ! » ; ou l'« identification introjective » : « Dieu que j'aimerais être comme lui ! »

de ne pas placer le grille-pain près du frigo, alors ce n'est pas ma faute.

— Ne sois pas si défensif. *Je voulais simplement savoir si c'était toi ou Jacques, qui avait renversé le lait. J'essaie de lui apprendre à nettoyer les dégâts qu'il fait.*

— Oh ! »

Cet homme est « psychiquement blindé » contre la critique. Il présume qu'il sera blâmé – un peu paranoïde – et il se prépare des excuses pour se défendre contre les critiques qu'il anticipe. L'une de ses défenses est de projeter le blâme sur d'autres. Parfois, comme dans l'exemple qui précède, le blâme qu'il redoute ne vient pas ; son jugement est erroné. Il l'« imagine ». Il « projette » la faute sur d'autres parce qu'il ne peut se faire à l'idée qu'il est moins que parfait. Moins que parfait lui paraît dangereux, inacceptable. Il est très dur envers lui-même et les autres. Dans le contexte de l'organisation, un artisan dit de lui : « Oh ! c'est facile. Son attitude, c'est toujours "j'ai trouvé le coupable et je l'ai congédié" ; ce n'est jamais sa faute. » Il y a là aussi un élément de narcissisme ; pas au sens d'égoïsme, mais au sens clinique d'enragé par la critique[7] ». La critique, explicite ou implicite, réelle ou imaginaire, ternit l'image parfaite qu'il veut entretenir auprès des autres, et surtout de lui-même.

« Des tas de choses se trament à l'intérieur. » Des tas d'émotions – colère, joie, tristesse –, mais elles sont « réprimées et niées ». Le psychologue utilise un langage technique, mais qu'est-ce que *réprimées* et *niées* pour nous ? Réprimées – consciemment éliminées de l'esprit. Niées – inconsciemment éliminées de l'esprit, l'exemple le plus simple étant : « Tu devais aller chez le dentiste. — J'ai oublié. » Ces sujets « oublient » leurs émotions perdues. L'élévation de certaines

---

7. American Psychiatric Association, *Diagnostic and Statistical Manual of Mental Disorders*, Washington, American Psychiatric Association.

échelles dans le profil « semble refléter les sentiments et les impulsions agressifs et hostiles qui sont présents à un degré significatif, tandis que la hauteur de l'échelle trois montre que les contrôles répressifs et suppressifs sont même plus forts que l'impulsion… Quoique inhibés et modérés, [ils] expriment périodiquement leurs sentiments agressifs directement et ardemment[8]. » Un artisan m'a dit de l'un d'eux : « Si vous êtes en désaccord avec lui, il éclate au contact. » Mais la plupart du temps, ils sont l'image même de la sérénité. Ils semblent imperturbables. Tout est contrôlé. Suivez le plan et les instructions – et tout ira bien.

Il est important de suivre les instructions. Un des traits saillants du « compulsif » : ses relations interpersonnelles reposent sur la domination et la soumission. Comme subordonné, il peut sembler agréable, soumis, même obséquieux. Une fois au pouvoir cependant, il ne tolère aucune opposition ; il manifeste une insistance irrationnelle pour qu'on se plie à sa façon de faire ou une répugnance irrationnelle à laisser faire les autres, persuadé qu'ils ne feront pas les choses correctement[9]. Réaction directement liée à sa paranoïa et à sa crainte de l'échec. Le scénario est à peu près le suivant : « Si j'ai le contrôle absolu et que je suis parfait, rien ne clochera. Je dois forcer les autres à se soumettre à ma façon de faire pour leur bien. » Dans l'ensemble, je pense que le technocrate croit sincèrement que ce qu'il fait profite à tout le monde. Il pensera que son intelligence supérieure est synomyme de sagesse. Les autres sont des enfants qui n'en font qu'à leur tête. C'est exactement ce que Frederick Winslow Taylor, le père de la « gestion scientifique », compulsif notoire, disait des « ouvriers ». Il voulait les « aider » en structurant leur travail

8. W. G. Dahlstrom, G. S. Welsh et L. E. Dahlstrom, *An MPPI Handbook*, Minneapolis, University of Minnesota Press, 1972, vol. 1, p. 267-271 (traduction libre).
9. *Diagnostic and Statistical Manual of Mental Disorders* (DSM III).

jusque dans ses moindres détails, de sorte que le conflit, le doute, la confusion et le désordre soient éliminés. Les « ouvriers » gagneraient beaucoup d'argent, les employeurs feraient de gros bénéfices et tout le monde serait content. L'utopie, quoi ! Les « faits » étaient éloquents. Son système était infaillible, excepté que les ouvriers le détestaient et ne voulaient pas s'y « soumettre », même pour « leur bien ». Ironie du sort, en recherchant désespérément la paix et la tranquillité, Taylor n'a réussi qu'à créer des conflits autour de lui et, régulièrement, il « éclatait au contact[10]. »

« Jusque dans les moindres détails ». Voilà qui est aussi typique du compulsif : la préoccupation des détails, des règles, des listes, de l'ordre, de l'organisation ou des horaires, au point que le but premier de l'exercice se dissipe. Un artisan disait des technocrates :

> *Je ne sais pas. Leur stratégie était très obscure. Ils semblaient fascinés par les bricoles. Vous savez, les systèmes, les structures.*

Ils raffolent des « faits », des organigrammes, et encore plus des systèmes, des structures et des règles. Leur penchant pour les détails et les systèmes aboutit souvent à la virtuosité technique, fondement de leur succès. Évidemment, elle a un prix. Les troubles de la personnalité diffèrent de la névrose : le malade ne « souffre » pas – il pense qu'il est bien; en revanche, les autres en souffrent. Le « ton » des situations sociales échappe aux technocrates parce qu'ils sont trop absorbés par les détails et les faits. Rappelez-vous l'opinion de Shapiro à propos des compulsifs :

> *Ils semblent incapables de laisser leur attention errer ou de lui permettre passivement d'être absorbée. Ils n'ont que rarement des intuitions et sont rarement frappés ou surpris*

10. Voir S. Kakar, Frederick Taylor. *A Study in Personality and Innovation*, Cambridge, MIT Press, 1970.

> *par quoi que ce soit. Ce n'est pas qu'ils ne regardent ni n'écoutent, mais ils sont trop occupés à regarder et à écouter autre chose. Ainsi, ils peuvent écouter un enregistrement en portant le plus grand intérêt et la plus grande attention à la qualité de l'équipement, aux aspects techniques et autres du disque, et entendre à peine la musique sans se laisser absorber par elle. En général, l'obsédé compulsif a un intérêt très précis et s'y raccroche; il recherche et recueille les faits et les établit clairement, mais il manque souvent les aspects de la situation qui lui donnent sa saveur et son impact. Ainsi, les compulsifs semblent souvent insensibles au «ton» des situations sociales. En fait – telle est la capacité humaine de faire de la nécessité une vertu –, ils parlent souvent avec fierté de leur détermination et de leur impassibilité.*

Le « ton » de leurs rencontres sociales leur échappe et, par conséquent, ils se méprennent radicalement sur la qualité de leurs relations. Le pire, c'est qu'ils ne savent pas que cette prédilection pour les « faits » fait partie de leur caractère. Ils se croient « raisonnables », « réalistes », « sensés », mais personne, absolument personne ne les perçoit ainsi. Ils se connaissent mal. C'est l'autre trait qui ressort très clairement des résultats de l'IMPM au sujet des technocrates : le manque de connaissance de soi. L'IMPM est un test difficile. Il est cousu de pièges. Il comporte des « indicateurs de validité » fondés sur des questions auxquelles personne ne doit répondre « non ». Par exemple, nos technocrates répondent « faux » aux déclarations « je me mets en colère parfois » ou « des fois, j'ai envie de jurer ». Quelques profils de technocrates ont failli être infirmés par ce genre de réponses. En général, l'IMPM nous dit :

> *Des résultats valides, d'élevés à très élevés, sont susceptibles d'être enregistrés par des sujets qui se décrivent franchement tels qu'ils se perçoivent. Ils tendent à être excessivement conventionnels, conformistes et prosaïques. Quel-*

> *ques-unes des descriptions correspondent en fait à leurs modes habituels de comportement, alors que d'autres aspects de leurs réponses au test reflètent leur manque de* perspicacité *et de* connaissance de soi.

Ils ne se voient vraiment pas, et alors ? Ainsi, ils se croient « réalistes » et « honnêtes », mais personne n'est de leur avis. Dans un entretien avec un artisan, j'ai remarqué qu'il avait omis de répondre « honnête » pour chacun des technocrates. Je lui ai demandé pourquoi. Il a répliqué, à contrecœur : « Je suppose qu'ils sont honnêtes, mais ils ne sont certainement pas francs. » C'est difficile d'être honnête avec les autres si on ne se connaît pas soi-même. L'absence d'authenticité se fait sentir. Nous aborderons cela plus loin.

L'une des meilleures façons de « nier » ses sentiments – stratégie favorite des technocrates – est de séparer ses sentiments des pensées qui les accompagnent. Les professionnels appellent cela « isolement » – comme dans cette description technocrate typique :

> *Oh! lui, un type formidable. Je l'aime bien. Il nous arrive encore de déjeuner ensemble. Il ne pouvait pas faire le travail, c'est tout. Il l'a compris. Rien de personnel. C'était une question d'affaires.*

Vous voyez, ici il n'y a pas d'affect. Rien que la pensée. La nuit suit le jour. Les faits sont les faits. Pas de rancune. Il va sans dire que le « gars formidable » dont il parle le méprise. Un très proche cousin de l'« isolement », c'est l'« intellectualisation ». Définition : « Tentative de résister à des élans ou à des affects répréhensibles en fuyant l'univers des émotions pour se réfugier dans celui des concepts et des termes intellectuels[11]. » De cette manière, le technocrate donne parfois l'impression d'être un moulin à paroles.

11. L. Hinsie et R. J. Campbell, *Psychiatric Dictionary*, Londres, Oxford University Press, 1970, p. 105 (traduction libre).

Il invoque des théories intellectuelles sans grand rapport avec ses actions. Un artisan :

> *Il nous citait constamment Drucker, disant qu'il n'y a pas de juste milieu entre la centralisation et la décentralisation. Il disait qu'il était en faveur de la décentralisation, mais il agissait évidemment à l'opposé.*

Toujours il justifiait, rationalisait, « intellectualisait » ses actions, d'ordinaire en se référant à quelque « spécialiste » (« spécialiste » : type de l'extérieur de la ville). Un artiste, à propos d'un autre technocrate :

> *Oh! bien sûr, il parlait toujours de décentralisation, mais chacune de ses actions allait dans le sens de la centralisation. Tout le monde le savait. C'était pour épater la galerie.*

Tous pensaient que les technocrates mentaient (voilà pourquoi personne ne les croyait honnêtes), mais je ne suis pas sûre qu'ils cherchaient délibérément à tromper. Mon impression : les technocrates croient sincèrement aux conventions – si Drucker le dit, c'est sans doute vrai. Ils ne peuvent l'éviter. Ils sont étrangers à eux-mêmes autant qu'aux autres. Parce qu'il leur faut être en situation de pouvoir – dominer, prévenir les erreurs; ils font automatiquement en sorte de dépouiller les autres de leur autorité. Comme nous le verrons plus tard, ils « intellectualisent » leur comportement par de jolis raisonnements.

Réprimant soigneusement leurs émotions, à part de rares explosions, et caressant de grands projets intellectuels, ils semblent froids, rigides et « brillants ». On s'en méfie parce que derrière leurs protestations de bonté et leur invocation des principes coopératifs maintenant conventionnels, se cachent l'hostilité et le pharisaïsme intransigeants que tout le monde redoute – « C'est ma façon, sinon... » Craignant l'inconnu et l'irrépressible, ils font de la logique, de la science et de l'analyse rationnelle leurs mots de passe parce qu'ils promettent de dominer et de dompter un avenir autrement incertain et redoutable. En situation de stress, ils projettent leurs émotions étouffées sur les autres, les traitant d'« émotifs » et d'« impulsifs » ; ils les blâment pour les erreurs inévitables d'un monde incertain.

Une fois qu'il a rétabli l'ordre dans son monde, le technocrate s'entête dans ses opinions. Il est conservateur parce que le changement le menace profondément. C'est son caractère...

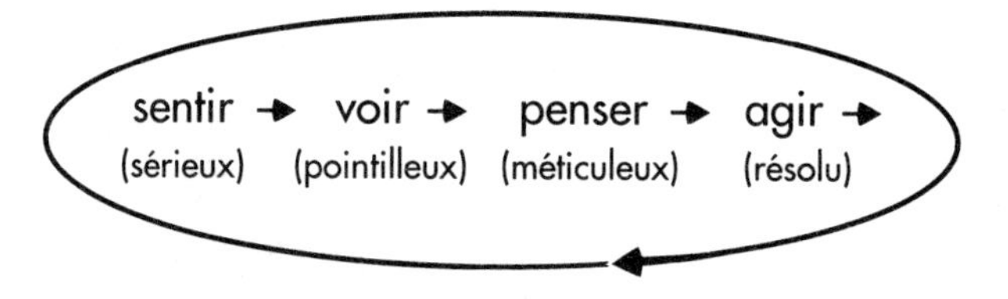

Figure 2. Le caractère technocratique

Peut-on apprendre à qui est sérieux, pointilleux, méticuleux et résolu, à être imaginatif, sage ou entrepreneurial ou drôle ? Si vous en êtes capable, vous êtes bien meilleur professeur que moi.

Jusqu'ici, j'ai décrit les trois caractères dans un isolement splendide. Au prochain chapitre, nous les verrons ensemble. Et au chapitre suivant, nous les regarderons interagir au sein de l'organisation.

Chapitre IV

La cacophonie

De nos jours, on encaisse *plus facilement les théories scientifiques. Le poète pourrait évidemment répondre qu'il est toujours plus facile d'encaisser un chèque de 30 shillings que de 1000 livres, que les théories scientifiques sont, en un sens, des chèques de faible dénomination qui ne donnent que les «traits communs mesurables» de la complexité touffue d'une réalité concrète. L'information qu'offre le langage poétique ne peut être reçue que si vous êtes prêt à faire la moitié du chemin. Il ne sert à rien de pointer un pistolet dialectique à la tête du poète et de lui demander comment il est diantre possible qu'une rivière ait des cheveux, qu'une pensée soit verte ou qu'une femme soit une rose rouge... s'il avait à vous le dire, ce n'est pas en vous comportant de cette façon qu'il vous le dirait. Vous devez commencer par lui faire confiance. Ce n'est qu'ainsi que vous saurez s'il est digne de confiance.* Credo ut intelligam...[1]

C. S. Lewis,
Christian Reflections

À LA LUMIÈRE de ce que vous savez, pensez-vous que le technocrate pourrait « faire confiance » à l'artiste assez longtemps pour savoir s'il est digne de confiance ? Jamais, même dans cent ans. Pensez-vous qu'il essaierait de « tenir un

1. Traduction libre.

pistolet dialectique » à la tête de l'artiste ? Le forcerait à définir l'indéfinissable ? Assurément. Eh bien ! ce n'est qu'un début. Nous allons maintenant placer de petits cercles en perspective. Ces cercles, qui représentent les personnages, existent en relation l'un avec l'autre et non pas dans l'isolement artificiel et analytique où je les ai présentés. Voici la carte dans son entier (voir p. 95). J'y ai superposé les cercles pour que vous puissiez suivre les acteurs. Nous avons d'abord parlé des artistes. Les voici à côté de leurs amis, les artisans, et littéralement à l'opposé de leurs ennemis. Regardez Cobb. Vous pensez peut-être qu'il est très différent de Brien, celui-ci étant à l'autre extrémité de l'éventail. Mais voilà le truc : Cobb est presque au même niveau horizontal que lui – il *partage* quelque chose avec Brien. Celui à qui il ressemble le moins, s'appelle Cam ; Cam est au nord-ouest, Cobb au sud-est. Il faut tenir compte des deux dimensions. Vous me suivez ? Voici comment nous allons procéder.

Le graphique comporte de multiples niveaux d'interprétation – soyez patient ! D'abord, on peut le lire comme un thermomètre d'entreprise. Partez de l'extrême est ; c'est chaud, environ 90 °F ou 30 °C – excitant. La mélodie de l'entreprise est un concerto avec un chef d'orchestre – Cobb, Mike ou James, au choix. Dans l'entreprise, tout le monde travaille fort (pas tous évidemment, j'essaie de traduire un climat) et paraît content. Les uns sont essoufflés parce que ça saute vraiment. Il y a une douzaine de projets importants en chantier. Ça s'agite sur tous les fronts.

Vers le sud, le climat se tempère, environ 75 °F. On descend de « torride » à chaud. De Cobb à James, on va du territoire de l'artiste à celui de l'artisan. Dans l'arithmétique bizarre que j'ai évoquée plus haut et qui paraît en annexe, James « charge » surtout l'artiste, mais en partie aussi l'artisan. En allant vers l'ouest, on passe par Bill et Rowan, qui ont des tendances « artistiques » mais qui sont foncièrement

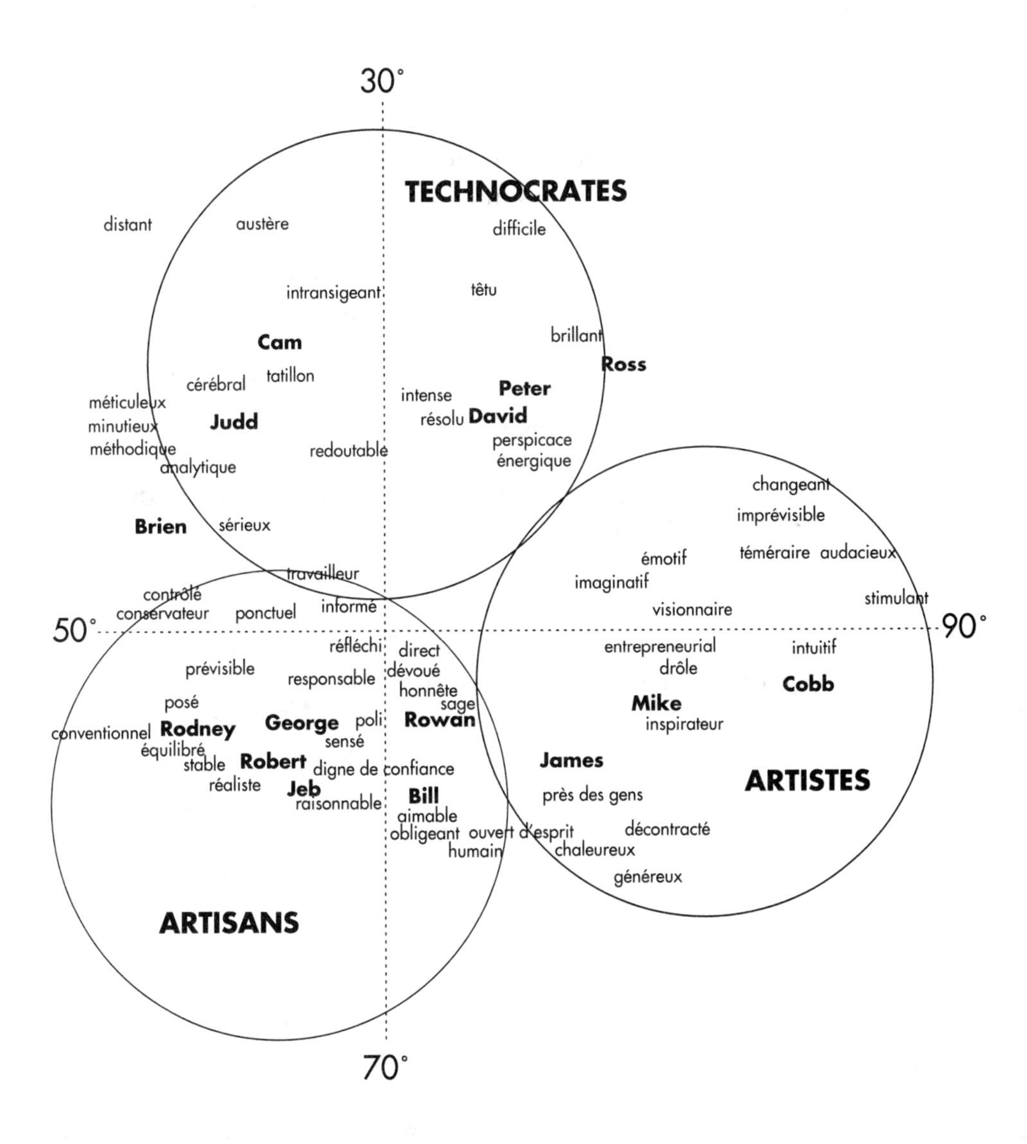

Figure 1. «Carte» des profils

des artisans. Au cœur du profil artisan, on passe du chaud au tiède, environ 70 °F. Tout le monde vaque à son travail à un rythme régulier, relativement calme. Les relations sont cordiales, sinon chaleureuses. Il y a beaucoup de sourires, mais peu d'éclats de rire.

En contournant le cap vers le nord, passé Rodney jusqu'à Brien, il y a nettement du frisson dans l'air. Disons que le lieu de travail est terne. Personne n'est très enthousiaste, mais personne n'est comateux non plus. Nous sommes en terrain « sérieux ». Si nous poussons plus loin que Brien, jusqu'à Judd et Cam, c'est Chicago en janvier. « Austère », « distant », « intransigeant ». C'est froid. L'entreprise prend l'allure d'une morgue. Personne ne parle, excepté pour les affaires. Le bavardage est frivole. Il n'y a pas de bruit dans les couloirs. Les portes des bureaux sont fermées et on sait qu'il s'y fait du travail très, très sérieux – même nombre de projets que chez les artistes, mais ils concernent le financement, les systèmes, les vérifications internes et externes.

En faisant le tour pour entrer dans le territoire de David, Peter et surtout Ross, la chaleur revient, mais c'est une chaleur de haut fourneau et non pas de soleil tropical. L'image n'est pas gentille, me diriez-vous. Mais elle n'est pas censée l'être. Je vous explique, ce qui nous amène à un autre niveau d'interprétation.

C'est là qu'interviennent les axes horizontaux et verticaux et leurs rapports. La « chaleur » des artistes est tempérée par leurs affinités avec les artisans. Cobb, Mike et James sont tous *sous* l'axe horizontal ; Ross est bien *au-dessus*. Ceux qui sont au nord ne sont pas exactement des artisans, c'est-à-dire qu'ils ne sont *pas* perçus, notamment, comme étant « honnêtes », « dignes de confiance », « aimables », « décontractés » ou « généreux ». En fait, ils ne sont « chauds » que dans le sens d'« intenses », d'exigeants. Ils sont impatients et souvent « éclatent au contact ». Ceux qui sont le plus à droite de l'axe vertical sont plus « émotifs », mais les émotions au nord ne sont pas jolies, elles sont carrément laides. Ainsi, quand on me dit que l'authenticité et la spontanéité sont le secret d'un bon leadership, je m'énerve. Je ne tiens pas particulièrement à ce que ces hommes soient spontanés. Je préférerais qu'ils retiennent leurs émotions – ou les confient à un thérapeute. Leur « répression » est bonne – pour nous autres.

Revenons à Brien. Brien n'éclate pas au contact, d'ordinaire. Mais lui et ceux qui sont situés à l'ouest – Rodney, Brien, Judd et Cam – ne sont nettement pas des artistes, c'est-à-dire qu'ils ne sont pas « intuitifs », « inspirateurs », « entrepreneriaux » ni « drôles ». Ils sont plutôt « contrôlés », « conservateurs », « méthodiques » et « cérébraux ». Rodney, par exemple, est très loin de Cobb et à égale distance de Cam même s'il est méthodique comme lui. Vous croyez qu'il ne s'entendra avec personne ? Faux, en fait, il s'entend très bien avec Cobb. Voyons pourquoi. Imaginez que vous êtes assis au sud-est, près de James. Quand vous regardez en diagonale de l'autre côté de la carte, vous apercevez votre contraire. Vous voyez froid, cérébral. Vous voyez Cam et Judd. Les détestez-vous ? Bon. Maintenant, passez de l'autre côté, chaussez les bottes de Cam et de Judd et regardez James – intuitif, drôle, inspirateur. Êtes-vous inspiré ? Pensez-vous qu'il est drôle ? Réfléchissez avant de répondre. Rappelez-vous que vous êtes maintenant « austère », « méthodique » et « sérieux ». Il y a un indice, un mot clé qui fait ici toute la différence. Les relations de l'artiste et du technocrate sont *a*symétriques. Le technocrate déteste l'artiste. L'artiste tolère, apprécie même, le technocrate ; nous verrons plus tard un artiste donner au technocrate l'autorité sur son entreprise. Le mot clé est « ouvert », avec mention « généreux ».

L'artiste ne déteste pas le technocrate. Il reconnaît chez lui le type « brillant », « méthodique ». Il apprécie ses qualités et ses vertus. Il le trouve un peu austère, mais il le tolère. Il veut le « brillant », être remis en question. Il n'aime pas les béni-oui-oui. Il veut être stimulé. Il a l'esprit ouvert. Et il n'est pas très sûr de ses propres talents. Il a des doutes. Sa façon de se protéger, c'est de s'entourer de types très forts, qui auront le courage de lui dire s'il fait fausse route. C'est l'une des raisons pour lesquelles il estime l'artisan ; l'artisan est direct, franc.

Mais les technocrates ne sont pas « ouverts » vis-à-vis de l'artiste. Voici ce qu'ils en disent :

> *Il était dans les nuages. Sur une centaine d'idées nouvelles, il pouvait en avoir une d'utile. C'est terriblement inefficace. Les gens sous lui se sentent* frustrés. *C'est impressionnant, mais ça finit par démotiver. Le monde ne peut pas se passer d'eux, mais nos entreprises peuvent sûrement s'en passer.*

Un autre ajoute :

> *Nous devions protéger l'entreprise de son influence.* Il rendait le monde fou avec ses idées. *Personne ne savait jamais sur quoi travailler. Tout le monde courait à gauche et à droite.*

Et un autre :

> *Ce n'était pas un gestionnaire, point final. C'était un conseiller. Il était inconstant, imprévisible, imaginatif, visionnaire. Un bon gars. Très aimable. Un gars d'idées, mais pas un gars pour mener une affaire.* Il ne savait pas comment travailler.

Voilà ce qui se passe quand le « sérieux » observe le « drôle ». Il voit rouge. Il « ne savait pas comment travailler ». Traduction : il n'était pas sérieux, il avait la tête en vacances. Il « rendait le monde fou » ; traduction : il *me* rendait fou. « Les gens sous lui se sentent frustrés ». Traduction : *je* me sentais très frustré. Les gens dans ces entreprises étaient beaucoup plus susceptibles de me dire des choses comme : « Ça n'arrive qu'une fois dans la vie de pouvoir travailler pour un type comme lui. » Cela dit, avec une profonde admiration. Sur le type qui « ne savait pas comment travailler », l'un de ses administrateurs m'a confié : « Il avait de belles manières et il était très prévenant. Quand il congédiait des gens, il le faisait gentiment (dans la mesure où on peut congédier gentiment). Il était *travailleur et très dévoué.* » Je n'ai pas entendu parler de *frustration*, sauf des technocrates. Les artisans n'étaient pas du tout « frustrés ».

Au contraire, l'artisan respecte l'artiste. Oh ! il croit qu'il va parfois trop vite et trop loin, mais il estime que l'artiste est indispensable. L'un m'a dit : « Des gars d'analyse, on en trouve à la pelle, mais les rêves ne s'achètent pas. » Mais l'artisan, qui a d'habitude l'esprit ouvert, se referme devant les technocrates. C'est lui qui devient intransigeant, têtu, essentiellement parce qu'il a les pieds bien rivés au sol. Il ne dédaigne pas se laisser élever à l'occasion par l'artiste, par un rêve, mais il résiste avec la dernière énergie à la « théorie ». Il trouve le technocrate et ses théories de gestion, ses maximes, « irréalistes ». Voici ce qu'en disent les artisans :

> *Ils semblaient penser qu'on pouvait prendre de l'expansion sans affecter les bénéfices. N'importe quel enfant d'école vous dira le contraire. Ils sont comme la petite vieille dame qui veut réaliser un gain sur son capital et des revenus. Totalement* irréaliste.

> *On ne corrige pas un problème si on ne sait pas qu'il existe. C'est comme si je me regardais dans le miroir et que je voyais un jeune premier plutôt qu'un homme d'âge mûr qui perd ses cheveux et dont la poitrine tombe sur le ventre. Il faut voir la* réalité *pour la changer.*

> *Pourquoi ne le* voient-*ils pas s'ils sont si brillants? Malgré leur génie, ils peuvent* rationaliser *tout ça, nous rationalisons tous.*

> *Ils ne comprenaient pas la situation...* trop loin du plancher des vaches *pour savoir comment marche l'entreprise.*

Les technocrates sont « trop loin du plancher des vaches », trop théoriques, ils manquent d'esprit pratique, d'expérience, pour distinguer une bonne d'une mauvaise idée, une nouvelle idée d'une ancienne joliment vêtue de neuf. L'artisan apprécie l'expérience, l'expérience pratique. Il ne croit pas que la connaissance ne puisse être que livresque. Il faut aller sur le terrain. Il pense donc que le technocrate peut être un bon consultant, mais un piètre gestionnaire et il le lui dit, fût-il son patron.

Le technocrate, d'autre part, n'attache pas de valeur à l'expérience. Pour lui, expérience est synonyme de démodé. Il attache de la valeur à l'« intellect ». Voici un échantillon des opinions des technocrates :

> *Il peut être un bon numéro deux. On peut compter sur lui pour garder le navire à flot en mer calme. Une fois la direction établie* [lire : par nous], *il peut tenir le gouvernail. Mais au bout d'un moment, la maladie s'installe. L'inefficacité. Et si la mer commence à s'agiter, si le marché est mouvant, il est désespérant... Il n'a pas* l'intellect.
>
> *Il nous faut du* talent, *là. Il n'est pas de taille.*
>
> *J'ai le sentiment qu'il est* débordé. *Il n'est pas vraiment apte à diriger. C'est vraiment un type de deuxième niveau.*
>
> *Ce n'est pas qu'il soit* têtu. *Il n'est tout simplement* pas assez intelligent *pour suivre un raisonnement.*
>
> *Ils sont* incompétents.

Sentez-vous le mépris, la condescendance ? Pourtant, certains de ces artisans « incompétents » dirigeaient des entreprises quand beaucoup de ces technocrates étaient encore au secondaire. Certes, l'expérience n'est pas toujours profitable. Certaines personnes *sont* dépassées et fermées. Mais toutes ? De grâce, ne perdez pas de vue que ces artisans sont perçus comme étant « ouverts d'esprit » par la vaste majorité de leurs collègues. Ils résistent au changement quand le changement leur semble « irréaliste ».

L'ironie, c'est que les technocrates se considèrent « réalistes », « sensés » et « raisonnables », mais ils sont les seuls à se voir ainsi. Ils se considèrent aussi « entrepreneuriaux », « intuitifs » et « imaginatifs », mais ils sont encore les seuls à se voir ainsi. L'un d'eux m'a dit d'un collègue qu'il était « entrepreneur ». Comme il était le seul à le dire, j'étais curieuse de savoir comment il définissait le mot « entrepreneur » et je le lui ai demandé. « Un entrepreneur, m'a-t-il répondu, c'est un homme pingre, qui traite l'argent de l'entreprise comme si c'était le sien. » C'est la définition la plus bizarre du mot « entrepreneur » que j'aie jamais entendue. Il n'était donc pas surprenant qu'un autre me dise :

> *James, Cobb et Rowan étaient des rêveurs, pas des entrepreneurs. Ce sont ce que j'appelle des «conseillers». Maintenant, nous avons des bâtisseurs. Ils sont conservateurs naturellement, mais si vous ne l'êtes pas, vous risquez de tout perdre.*

Cela nous ramène au problème de la connaissance de soi. Les technocrates se connaissent mal et connaissent mal les autres. J'ai failli éclater de rire quand le plus froid, le plus rigide d'entre eux, m'a dit d'un collègue : « Lui ? Oh ! c'est un homme très froid. Frigide. Très distant. » Celui dont il parlait était un boute-en-train par rapport à lui.

Même chez les technocrates, il y a des problèmes. L'un d'eux a parlé de ses collègues comme d'« une bande d'amateurs » ; d'autres estimaient que leurs collègues, leurs rivaux, n'étaient pas vraiment « professionnels » [lire « techniques »]. Évidemment, si vous détenez la *Vérité* et que vous avez *besoin* d'imposer *votre* vérité, tous sont de dangereux rivaux. Il vous faut trouver un moyen pour saper la crédibilité des autres. Ceux qui étaient extérieurement calmes et sereins se méfiaient des plus « émotifs », et avançaient des choses comme : « il faudra le surveiller et le contrôler » ou « ils peuvent tourner à tous les vents ». Ils se méfient vraiment, profondément de l'émotivité. En fait, ils l'utilisent comme la pire des insultes. Évidemment, quiconque éprouve un besoin irrépressible de *dominer* aura beaucoup de mal à s'intégrer à une équipe, quelle que soit sa composition.

Donc, à l'intérieur de l'entreprise, nous entendons la cacophonie des gens qui se lancent des insultes : « émotif », « irréaliste », « rêveur », « théoricien », « incompétent », « dépassé ». Ils pensent discuter du fond quand ils discutent en fait du caractère. Chacun perçoit et interprète différemment le paysage organisationnel. Les mêmes « faits » ont des sens différents. L'un est parfois d'un optimisme exubérant et parfois découragé. L'autre est modérément optimiste. Un autre encore profondément pessimiste, même phobique. Quelle interprétation l'emportera ? Celle du technocrate. Voyons comment il s'y prend.

DEUXIÈME PARTIE

Le drame

CHAPITRE V

Le triomphe du technocrate

Il n'y a pas de vocabulaire fondamental de lignes et de couleurs, ni de structures tonales essentielles, ni de phrases poétiques de sens émotif conventionnel dont on puisse tirer des formes expressives complexes, c'est-à-dire des œuvres d'art, par des règles de manipulation... Il est assez facile de produire des cadences standard, de composer des airs lyriques selon des modèles familiers et une connaissance pratique de résolutions alternatives standard, etc., mais au mieux de tels produits sont médiocres... L'analyse d'œuvres fortes, nobles ou touchantes est toujours rétrospective...

S. K. Langer,
Mind : An Essay on Human Feeling[1]

NOUS AVONS VU qu'il y a trois « types idéaux » de leaders dans l'organisation. L'artiste semble « changeant » et « imaginatif », en vertu d'une vie intérieure « cyclothymique » (où alternent euphorie et dépression) et « autiste » (qui s'abandonne aisément au rêve). Le technocrate apparaît « méticuleux », « cérébral », souvent « brillant », « difficile », « intransigeant » et « impassible ». Ce sont là les signes extérieurs d'un phénomène psychique : crainte de l'inconscient et des émotions, qui entraîne le rejet de toute émotion (et le mépris des sentiments

1. S. K. Langer, *Mind : An Essay on Human Feeling*, Baltimore, John's Hopskins University Press, 1967, vol. 1, p. 90 (traduction libre).

ressentis par les autres). Cette crainte engendre aussi un attachement irraisonné à la sécurité des conventions : si tout le monde croit que c'est vrai, cela doit l'être. Son besoin d'intellectualiser, doublé d'une intelligence au-dessus de la moyenne, en fait un puissant analyste et un dangereux ennemi. L'artisan n'est pas qu'un moyen terme entre les deux, une catégorie résiduelle. Il est « honnête » et « dévoué », « loyal » et « franc ». Il est intelligent, énergique dans la défense de ses valeurs et montre un respect pour l'expérience pratique qui le distingue des précédents . Psychiquement, il est davantage que monsieur Tout-le-monde. Il a plus d'ambition que la moyenne, sinon il ne rechercherait pas des postes de pouvoir. Il est poli, mais ne se laisse pas marcher sur les pieds. Il ne cache pas ses valeurs pour survivre. Je suis sûre que vous pouvez déjà imaginer l'interaction de ces personnages dans l'entreprise. Ce chapitre relate leur histoire, du point de vue des acteurs eux-mêmes, qui sont loin de prétendre à l'objectivité. Les lieux sont fictifs, mais les événements ne le sont pas.

Les origines

Le récit commence à *Trouville* dans les années 60. Le président du conseil d'*ABC*, une compagnie d'assurances générales de taille moyenne, qui a 40 ans d'existence, envisage de se retirer. Il ne fait confiance à aucun de ses subalternes pour prendre sa succession. Quelque temps auparavant, il a rencontré le jeune patron d'une petite société rivale, qui l'a favorablement impressionné. Le jeune homme, autodidacte, semble très mûr pour son âge et il possède la réputation d'être scrupuleusement honnête et clairvoyant. Notre homme le courtise. Le jeune homme ne veut pas renoncer à sa liberté d'entrepreneur. Finalement, après beaucoup d'hésitation, il accepte, séduit par la perspective d'horizons plus vastes. En moins d'un an, James a les rênes bien en main. Six mois plus tard, il fait sa première acquisition. Pendant dix ans, le vieux président du conseil n'arrivera pas à reprendre son souffle. Il ne regrettera pas un instant sa décision.

En 1965, la *Société ABC* domine le marché régional. Elle est l'« enfant chérie » de *Trouville* et tire parti de sa réputation de renforcer l'économie locale, qui est en fait sa raison d'être ; le sentiment « autonomiste » est en vogue. La direction de la compagnie s'est jusque-là contentée d'exploiter cet avantage, mais James estime pouvoir faire plus. Le pays tout entier, pense-t-il, profitera du succès d'une entreprise locale. Avec un taux de croissance normal, la *Société ABC* ne pourra jamais espérer arriver à la cheville de ses concurrents sous contrôle étranger. « Avec le même taux de croissance, la compagnie X aurait ajouté deux cents millions de livres sterling à son actif et nous dix. Elle ne ferait que nous distancer de plus en plus. Nous devions faire des acquisitions. »

Une société d'assurances générales ayant des ressources financières limitées n'a pas les moyens de faire de grandes acquisitions. James, devenu président du conseil, décide de régler le problème de deux façons. Lors de la première transaction, le rachat d'un assureur local en difficulté financière, il est entré en relation avec un grand *Groupe financier européen* (*GFE*), qui avait une participation majoritaire dans cette compagnie. Il a négocié avec *GFE* des conditions lui permettant de dormir tranquille et de toucher des dividendes réguliers sur ses actions désormais minoritaires. Le charme personnel de James, ses dons de négociateur et sa réserve – il s'est gardé de profiter de la faiblesse momentanée de *GFE* – lui ont valu de solides amitiés. Il a formé une « alliance stratégique » *20 ans avant* que les universitaires commencent à en parler. Il se servira de cette alliance à maintes reprises au cours des dix prochaines années, assurera son autorité avec moins de 50 % des actions sous son contrôle et étendra l'influence de la *Société ABC* bien au-delà de sa valeur comptable.

Le deuxième élément de sa stratégie consiste à faire l'acquisition d'une société d'assurance-vie. Parce que les polices d'assurance-vie sont à très long terme, comparativement aux contrats d'assurances générales, les compagnies d'assurance-vie accumulent d'énormes actifs. Le contrôle de tels actifs met à la disposition de James des fonds spéculatifs beaucoup plus importants et il en profite largement. Il fait l'acquisition d'une société immobilière. En achetant une société de portefeuilles pour mettre la main sur ses intérêts dans l'assurance, il acquiert une participation dans une petite banque et un promoteur immobilier. Estimant que l'avenir appartient à ceux qui savent le prévoir, il achète des entreprises de « communication moderne », susceptibles de devenir de bons véhicules d'assurances. (Notez bien, c'est *25 ans avant* qu'il ne soit question de l'« autoroute électronique ».) Alors que ses concurrents restent retranchés sans risques dans leur secteur – banques, assurances générales, courtage, assurance-vie –, James s'écarte de la « recette de l'industrie » et déborde les frontières du secteur financier – *20 ans avant* n'importe qui.

Inépuisable et d'une énergie sans bornes, il refuse de s'asseoir sur ses lauriers. Chez lui, *ABC* est maintenant troisième dans les assurances générales et sixième dans l'assurance-vie ; il y a beaucoup à faire.

James, désormais bien connu, a un pied dans le circuit. Il fait son chemin et, parce qu'il a la réputation de ne pas lésiner quand une occasion se présente, on lui fait des propositions. En 1976, il voyage en avion avec un ami déçu du rendement de sa compagnie d'assurances en Grande-Bretagne. Il lui souffle à l'oreille qu'il serait acheteur s'il songe à vendre. Il reçoit bientôt un coup de fil. Moyennant quelques tours de passe-passe juridique, et l'aide et la participation du sempiternel *GFE*, James réussit à avaler la société londonienne, qui fait plusieurs fois la taille de la sienne. On jubile. Non seulement a-t-il finalement mis le pied dans un grand centre financier international, mais la société d'assurances possède des filiales à Hong Kong, au Canada et aux États-Unis. Du coup, la *société de Trouville* est catapultée sur la scène mondiale. Tout opportuniste qu'ait pu sembler l'opération à l'époque, elle était partie du « plan » que James avait en tête.

L'année suivante, James s'empare d'un autre holding londonien, qui lui permet de consolider sa position dans les assurances générales et d'acquérir des actions supplémentaires de la banque et de la société immobilière. En cours de route, il met la main sur de nouvelles propriétés pour sa société de promotion immobilière et sur une filature de laine. Décentralisateur de nature, il donne libre champ à la direction locale au Canada et aux États-Unis et les actifs se mettent là aussi à grimper. Au bout de cinq ans, *ABC* est majoritaire à la banque et peut y déléguer son représentant à la direction. Nous sommes en 1980. James est au pouvoir depuis quinze ans. Pour lui, ça semble court.

Son empire est immense. Il ne peut le diriger seul. Lors du rachat de l'assureur londonien, il éprouve le besoin d'engager un cadre d'expérience pour en prendre la direction, un homme qui a plus de connaissances que lui en assurance-vie. Il fait de même à la banque, mais conserve la direction des entreprises d'assurances générales, s'estimant bien secondé par un administrateur qu'il a déniché – et promu – au cours d'une acquisition antérieure. Les autres éléments disparates de l'empire sont aussi sous sa responsabilité. Vers la fin de la décennie, la structure et les cadres supérieurs de l'entreprise se présentent comme l'indique le graphique qui suit. James est un artiste, cela va de soi. Un technocrate dirige la société d'assurance-vie dont les filiales canadienne et américaine sont dirigées respectivement par un artisan et un artiste. Il y a un artisan à la banque, un autre dans les assurances générales et un troisième qui cumule diverses responsabilités.

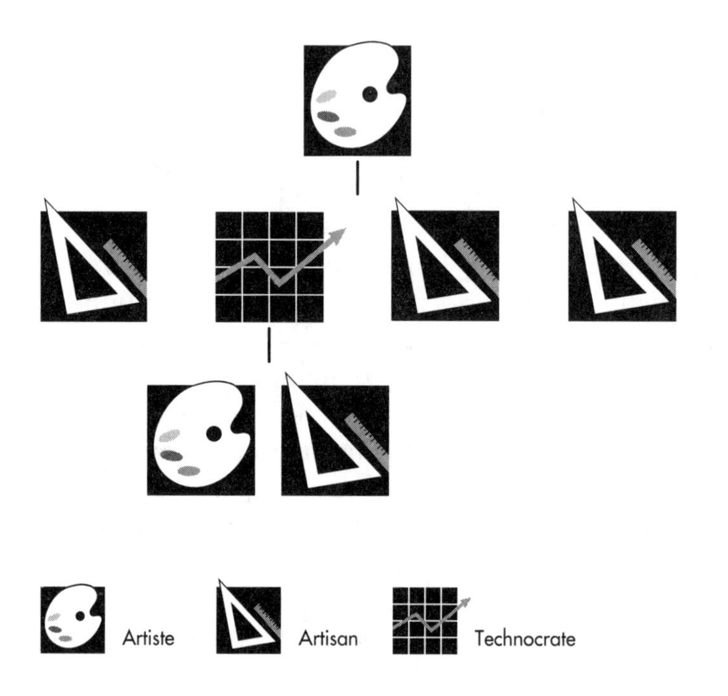

Figure 1. Structure en 1980

L'homme, le climat de l'entreprise, la stratégie

Quel type d'homme a pu bâtir un empire avec peu de ressources et au mépris des conventions alors que banquiers et assureurs passent, au mieux, pour être « vieux jeu » ? Grand, fort, beau, avec l'allure du roi écossais du même nom, James charme facilement tous ceux qu'il croise. « Quand il est entré pour la première fois dans la salle du conseil à Londres, après avoir pris le contrôle de la compagnie, tout le monde était sur ses gardes, m'a dit l'un des administrateurs. Nous le tenions pour un parvenu et nous étions méfiants. Nous craignions le pire. Nous nous attendions qu'il soit à la fois médiocre et arrogant. » Dès le premier jour, il dissipe leurs craintes. Il reconnaît que les Londoniens connaissent leur affaire mieux que lui. Il les assure qu'il n'interviendra pas dans leurs décisions. Il leur serre la main. Il les reçoit à dîner et boit à leur succès. Il les séduit complètement. Quelle sorte de charme possède-t-il ?

D'abord, le charme de l'artiste. « J'ai toujours été surprise qu'il puisse flairer le vent avant les autres. Des fois, je l'attribuais à une intuition féminine. En français, on dirait qu'il a du « pif » ou du « nez », une sorte de sixième sens. » Il emploie des images et des métaphores pour décrire ce que sera la *Société ABC* dans vingt ans, mais il se garde bien de le noter. Il a une mémoire prodigieuse. Dans les négociations serrées, il n'a pas besoin de consulter des tableaux financiers. Il connaît les chiffres par cœur. Presque tout le monde a de lui la même image : « imaginatif », « intuitif », « visionnaire ». Il obtient un score parfait aux rubriques « énergique » et « entrepreneurial ». Ces qualités en font un chef dont on s'inspire, qui donne aux membres de son entourage le sentiment d'aller quelque part et de faire quelque chose d'important. Il est doué, mais ses dons auraient pu s'épuiser avec le temps; si importants qu'ils soient, c'est peut-être l'autre versant de sa personnalité qui lui vaut la loyauté indéfectible de ses collaborateurs.

L'autre aspect de sa personnalité se nourrit des qualités de l'artisan. Tout le monde, y compris ses ennemis, l'estime « près des gens », « sensé », « honnête » ; neuf sur dix le disent « humain », « aimable » et « chaleureux ». Rappelez-vous la « carte » des joueurs où James est à mi-chemin entre les artistes et les artisans. Bien qu'à l'opposé du technocrate – apparaissant au sud-est alors que les technocrates sont au nord-ouest –, son artisanale vertu d'ouverture d'esprit tolère le style des autres. Il peut bien travailler avec les artistes, les artisans et les technocrates. Il admire les compétences du technocrate. Autodidacte, il a le plus grand respect pour ceux qui sont instruits. Personne ne le juge « distant », « austère », « cérébral », « difficile » et « intransigeant ». Hélas ! pour lui et l'entreprise, personne non plus ne le juge « méticuleux », « porté sur les détails » – on le trouve trop « émotif ».

N'ayant pas l'ouverture d'esprit de l'artiste/artisan, le technocrate pur ne le juge pas digne de respect. Les images vagues de futur lointain évoquées par James passent pour ridicules, même insensées, aux yeux du technocrate, tout comme sa passion, son attachement aux « causes » sociales et économiques et à celles de l'entreprise le font paraître sentimental. Son esprit de décision et son caractère impulsif sont une abomination : le technocrate estime que les affaires sont très sérieuses et qu'elles exigent une stratégie nette fondée sur toutes les données disponibles. Un technocrate m'a dit sur un ton de mépris : « Les filatures de laine, les équipées dans la télé. Il ne savait pas ce qu'il faisait. Il a fallu faire le grand ménage, remettre les choses à leur place. »

James emploie des métaphores. Ce qu'un admirateur appelle des « images », un détracteur technocrate les tient pour des « énigmes », qui n'ont aucun sens, même après avoir été « décodées ». C'est la croix de l'artiste d'avoir du mal à s'exprimer. Vous vous rappelez la version de James du tableau de Dali que je vous ai montré au chapitre I ? On l'accusait de ne pas savoir ce qu'il faisait parce qu'il avait le plan en tête, mais pas sur papier. « On m'accusait de diversifier, mais je ne diversifiais pas, dit James à sa décharge. Toutes ces entreprises étaient reliées, mais on ne le savait pas. » Que faites-vous des filatures de laine et des autres éléments disparates ? ai-je demandé. « Ces entreprises ne m'intéressaient pas. Je ne voulais que leurs éléments d'actif. Les autres trucs ont été vendus à profit. »

Si ce manque de clarté ne suffit pas à ternir sa réputation, ses émotions s'en chargent. « Il est incapable de prendre une décision *logique*. Il est trop émotif. Il s'inquiète du lieu du siège social ; il ne comprend pas qu'il ne s'agit que d'un immeuble et qu'il faut déménager. C'est économiquement sensé. » (Les technocrates voulaient déménager le siège social de *Trouville* à Londres ; James se disait moralement engagé à ne pas bouger. Ce sont les technocrates qui l'ont emporté.) Un autre dit : « Il était incapable de congédier quiconque. Il était trop près de son monde. Il laisse toujours ses *sentiments* brouiller son jugement. » C'est son talon d'Achille – il entraînera sa chute.

Pour l'instant, James reste fermement aux commandes. Ses messages aux actionnaires dans ses rapports annuels témoignent de ses préoccupations dominantes : croissance, création et maintien d'une culture d'entreprise sollicitant l'énergie créatrice du personnel, progrès social de *Trouville* et du pays. Des poèmes introduisent les messages. Dans un cas, James s'excuse presque de faire état des bénéfices : « Nous ne croyons pas qu'une institution comme la nôtre doive être jugée strictement par l'utilisation judicieuse et efficace qu'elle fait de ses ressources, mais il nous faut quand même rendre compte une fois par année de nos opérations. » « Assez de chiffres ! » interrompt-il brusquement pour citer Saint-Exupéry sur l'importance de se dépasser, de porter en soi les espoirs, les rêves et le bien-être de la société (*20 ans avant* qu'on ne parle de responsabilisation, d'« empowerment »). Exposant la raison d'être de l'entreprise, il parle d'amour et d'amitié :

> *L'homme réagit instinctivement à la pression des besoins matériels et au désir d'amour et d'amitié. Il nous semble que de répondre à ce double besoin donne à notre institution une raison d'être valable.*

Pour l'artiste, l'entreprise doit se fonder sur des impératifs moraux afin de justifier son existence.

Il ne craint pas l'avenir ; il écrit à propos des périls qu'il recèle :

Nous vivons à une époque très exigeante, mais qui promet encore plus ! C'est une époque dangereuse qui donne le vertige, mais qui nous permet aussi de goûter – même de savourer – la joie de savoir, de créer, de vivre.

Souvent philosophe, il ose écrire que l'agressivité, l'animosité et même la haine ne sont rien de plus qu'« un cri inconscient, un appel urgent à l'amour ». Pour mieux faire passer son message, il remplit la page couverture du rapport annuel des noms de centaines d'employés. Harvard ne lui a pas enseigné à faire ça. Il le fait instinctivement. Finalement, au beau milieu de ce discours sur l'harmonie et la compréhension, se glisse toujours la note sur la croissance. « Une entreprise, écrit-il, doit toujours être jugée par ses investissements dans le futur et par l'*ingéniosité* avec laquelle elle fait œuvre de *pionnier.* » Comme nous a dit Polanyi plus tôt : « Le progrès tâtonnant de l'explorateur est une bien plus grande réalisation que celle du voyageur bien documenté. » James ne parle pas de « croissance pour l'amour de la croissance », mais de la croissance pour la gloire du pays et de ses citoyens. Sentimental ? Certains le pensent. De toute manière, au début de la période suivante, lui et la *société ABC* (qu'il dirige) sont en plein essor.

Le tournant : de 1980 à 1985

Les deux premières années sont marquées par la consolidation de la banque et le rachat d'une grande société d'assurances générales. L'actif du groupe dépasse les deux milliards de livres sterling. James s'est beaucoup affairé, mais il a un nouveau souci. Quoique très vigoureux (il l'est toujours à 75 ans !), il est au milieu de la soixantaine et estime qu'il doit prévoir sa succession. De longues marches et de longues conversations avec sa femme sont à l'ordre du jour. « Il peut arriver qu'un homme reste trop longtemps dans une entreprise ; elle a besoin d'air frais, d'une nouvelle façon de voir », se dit-il, jamais arrogant. Il veut assurer l'avenir d'*ABC* et il doute de ses visions ; on lui a enseigné que les visions sont l'exclusivité de la jeunesse. Dans son esprit, il n'y a qu'un homme pour lui succéder, un seul qui ait l'envergure et les connaissances nécessaires pour saisir toutes les pièces du puzzle qu'est devenu son empire. L'homme est son collaborateur depuis le rachat d'une importante société dans les années 70. Le conseil d'administration lui fait confiance et il est tout ce que James estime ne pas être lui-même : brillant, posé, instruit, solide, sérieux. En 1981, James prie Cameron d'accepter la fonction de directeur général. James conservera la présidence du conseil. Cameron accepte.

Pour les dégager du reste de leurs responsabilités, il est nécessaire de recruter deux dirigeants pour les deux plus grandes divisions du groupe. James et Cameron rencontrent des candidats et s'entendent sur deux hommes. Au début des années 80, l'organigramme de la société ressemble au schéma suivant : James, l'artiste, occupe la présidence et reste très influent, grâce à ses liens solides avec les actionnaires et le *GFE*. Cameron, technocrate, est le numéro deux. Les nouveaux venus sont Judd, technocrate, et Cobb, artiste.

Cameron prend de plus en plus de place. James se laisse persuader de vendre des « petits trucs » qui, selon Cameron, « n'ont pas de sens ». Le « rêve » de James d'offrir des services financiers par voie électronique ne s'est pas matérialisé. Selon Cam, c'est un « château en Espagne » (le temps et l'« autoroute électronique » trancheront). Les entreprises de communication sont vendues. En fait, tout est vendu qui ne soit pas à strictement parler des services financiers. Deux secteurs sont ajoutés au groupe par voie d'acquisition : une société de

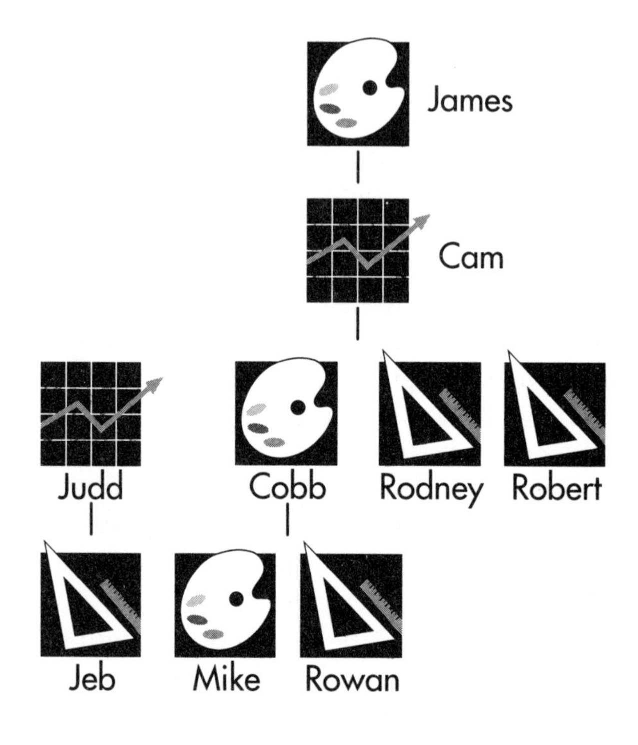

Figure 2. Structure au début des années 80

placements et des sociétés de conseil en placements. On parle dans le monde entier de « l'effondrement des quatre piliers » : banque, fiducie, assurance et courtage. La nouvelle « recette du secteur » suggère d'avoir les pieds dans les quatre services et, où le permettent les règlements, de recouper les services et de les commercialiser en bloc. Le nouveau mot d'ordre est *synergie.*

Dans l'intervalle, les deux nouveaux venus – Cobb et Judd – mettent le pied à l'étrier et commencent à brasser des affaires dans le plus grand secteur. Cobb, l'artiste responsable du secteur, secondé aux États-Unis par Rowan, artisan animé de l'esprit d'entreprise ; et au Canada, un autre artiste, Mike, est déjà en marche. Au printemps 1984, Cobb approuve l'acquisition d'une société d'assurance-vie qui fait plus que doubler les actifs aux États-Unis. Mike donne libre cours à ses propres instincts d'acquéreur au Canada et met la main sur des sociétés d'assurance-vie et des blocs d'affaires. En 1985, la société-mère semble avoir un besoin insatiable de capitaux. Elle lance des appels publics à l'épargne et procède à des émissions à diffusion restreinte pratiquement chaque mois. Avec le rachat du dernier bloc de contrôle de la banque, la *Société* peut mettre un terme à une fiction comptable et consolider les comptes de la banque dans son bilan. Le gonflement de l'actif crée une occasion propice à l'utilisation du marché des capitaux. La société est florissante ; elle semble entre de bonnes mains et l'équipe fonctionne bien. James décide de se retirer et passe la main à son adjoint, Cameron.

J'ai parlé à James peu après la promotion de Cameron. « Y a-t-il un danger pour l'avenir de la compagnie ? ai-je demandé. Que les bureaucrates s'en emparent, par exemple ? » Il a répondu : « Non. L'esprit d'entreprise est trop bien ancré. Tout le monde en est imprégné. » Rien ne change du jour au lendemain, mais des changements s'annonçaient.

Les changements : de 1985 à 1990

James, l'artiste, abandonne les rênes du pouvoir et s'isole de plus en plus. Il reste membre du conseil d'administration, mais les pouvoirs formels et informels sont entre les mains d'un autre homme. Quelle sorte d'homme est Cameron ? Nous avons déjà vu que c'est un technocrate. Sur la « carte », il est situé au quadrant nord-ouest, à l'opposé de James au sud-est. Ses pointages les plus faibles sont pour « humain », « aimable », « chaleureux », « obligeant » et « généreux ».

James a choisi son contraire pour lui succéder. Pourquoi ? En raison de ses talents – il est « sérieux », « cérébral », « travailleur », « méticuleux », « déterminé » et « méthodique ». Il se classe deuxième au titre de « brillant ». Il est conservateur, contenu, intense. Il semble très sûr de lui et n'est pas du genre à faire beaucoup d'erreurs. Il est solide, impassible et inspire confiance. On soupçonne qu'avec lui, les choses seront sous contrôle et chaque chose à sa place. Aucun détail ne restera en suspens. Les choix seront raisonnés, la procédure analytique. Il est raffiné d'une façon qui en impose à l'autodidacte. Quand je lui ai demandé pourquoi James avait arrêté son choix sur Cameron, un ancien vice-président directeur m'a répondu simplement : « Il s'est trompé. C'est humain, n'est-ce pas ? » James allait le regretter amèrement.

L'équipe : 1986

Il convient ici de faire connaissance avec le reste de l'« équipe », puisque c'est durant cette brève période qu'elle a vraiment existé. Même si, selon la hiérarchie officielle, les chefs de la direction des quatre grandes divisions – Judd, Cobb, Rodney et Robert – relèvent directement de Cameron, président du conseil, l'exercice du pouvoir est en réalité beaucoup plus diffus. Les quatre font partie d'un conseil de neuf membres. James, l'artiste, ancien président du conseil, reste membre du conseil et exerce un pouvoir moral. Le conseil fonctionne sans cérémonie, comme un comité de gestion plutôt qu'un véritable conseil d'administration. Chacun parle librement; il n'y a pas de déférence manifeste à l'autorité hiérarchique. Les propositions sont mises sur la table et les décisions prises sans trop d'histoire. On respecte le droit de chacun d'agir indépendamment dans son secteur.

Judd, technocrate, apparaît à la gauche du dernier organigramme. Sur la « carte », il est situé à quelques millimètres de

Cameron, le nouveau président du conseil, dans le quadrant nord-ouest. Sur les listes de contrôle, *personne* ne dit de lui qu'il est « changeant », « drôle », « stimulant », « visionnaire », « intuitif » ou « inspirateur ». Un dit qu'il est « entrepreneurial ». Il n'est manifestement pas artiste. *Personne* ne le juge « honnête », « humain », « près des gens » ni « ouvert d'esprit ». Ce n'est pas non plus un artisan. La majorité le juge « contrôlé », « sérieux », « intense », « analytique », « méthodique » et « résolu ». Aux réunions du conseil, Judd parle des progrès de fusion de ses diverses filiales, de la structure et des systèmes qui en résulteront. Il fait part de ses prévisions optimistes des bénéfices, d'après les tendances.

Sous ses ordres, Jeb est l'archétype de l'artisan. Il apparaît sur la « carte » en plein milieu du groupe d'artisans. En tête de la liste de contrôle viennent les adjectifs « honnête » et « équilibré », suivis de près par « humain », « aimable », « sensé », « dévoué » et « informé ». Il est aussi « prévisible » et « conventionnel ». Aussi bien ses admirateurs que ses détracteurs s'entendent sur ces épithètes. Personne ne le juge « difficile », « austère » ou « têtu » ; ses rapports avec ses collègues sont en général harmonieux. Ses subalternes l'aiment et le respectent, les artistes et les autres artisans l'apprécient. Les technocrates n'en tiennent pas compte. Ils disent de lui : « Il est faible. Il faut s'en débarrasser », ou plus subtilement : « Il faut lui adjoindre quelqu'un qui renforcera notre capacité d'analyse. » Jeb passe pour « méthodique », mais ça ne suffit pas. Parce qu'il est « informé » et a une longue expérience du secteur, on tolère, provisoirement, sa présence.

Sur la droite se trouve Cobb, l'artiste. « Imaginatif », « audacieux », « inspirateur » et « intuitif », il se classe premier *ex-æquo* pour « stimulant ». Il ne laisse personne indifférent. Quoique profondément artiste, il partage, selon la majorité, quelques vertus de l'artisan : « honnête », « humain », « près des gens » et « ouvert d'esprit ». En réalité, ce sont ses qualités artisanales qui, ajoutées à sa vision artistique, le rendent « inspirateur » aux yeux de ses subalternes. Il n'y a rien de plus flatteur que d'être écouté attentivement par une personne qu'on considère supérieure à soi. L'un de ses subalternes immédiats dit de Cobb avec force admiration et affection : « Ça n'arrive qu'une fois dans la vie de travailler avec un homme comme lui. » Gros buveur, grand joueur, exubérant et changeant, drôle et intense, il vole haut, tombe bas et se retire – provisoirement. Il est extrêmement tendu. Les technocrates sont très mal à l'aise autour de lui. Les autres artistes tour à tour conspirent avec lui ou tentent de le court-circuiter pour parvenir à leurs fins. Les artisans rient de ses bouffonneries et de ses blagues, mais s'inclinent devant sa vision. Ils le suivraient (pratiquement) n'importe où.

Mike, un autre artiste, est sous les ordres de Cobb au Canada. Ils sont très près spirituellement l'un de l'autre et se marchent parfois sur les pieds. Ils croient à leurs visions, s'impatientent des délais de procédure et n'ont que faire des règles. Leur devise pourrait être : « Il y a plus d'une façon d'écorcher un lapin. » Mike combine encore davantage les qualités de l'artiste et de l'artisan; il est « intuitif » et « honnête », « entrepreneurial » et « généreux », « audacieux » et « dévoué ». Il est extérieurement plus calme que Cobb, mais ses actions le démentent. C'est un pur-sang; on lui donne de la corde et il en profite. Les technocrates disent qu'il « s'emballe ». Il prend soin de « son » monde et s'en soucie vraiment. Il aide ses subalternes à régler leurs problèmes personnels. Il est loyal, peut-être trop. Chaleureux, ouvert d'esprit, il rit de bon cœur et sourit sans cesse. Il admet, en privé, qu'il a souvent des moments de découragement, mais il ne les laisse pas transparaître. Il n'est pas du tout arrogant; parfois naïf, il sera par la suite consterné par les événements. Hiérarchiquement l'égal de Mike, dont il est l'ami, Rowan est un autre artisan. Aimable, l'esprit ouvert, doté d'un bon jugement, il s'est fait peu d'ennemis. Néanmoins, ses jours sont comptés. Parmi les chefs de direction du groupe se trouvent deux autres artisans, Robert et Rodney. Responsables, renseignés, dignes de confiance, raisonnables et ouverts, l'un est le modèle de l'artisan tandis que l'autre se rapproche des technocrates sur la « carte ». On le juge « conservateur », donc plus que « conventionnel ». Il est plus contenu, méticuleux et porté sur les détails. Honnête et direct à l'excès, il parle sans détour. Il ressemble au technocrate par sa méticulosité et son esprit d'analyse, mais son style de gestion relève encore plus de l'artisan.

Telle est l'équipe au début de la dernière phase de l'étude : menée par un technocrate, encore influencée par l'artiste ex-président du conseil, complétée par deux artisans, un artiste et un technocrate. C'est un mélange intéressant. Que pensent-ils et que font-ils ?

Stratégie et style

Tel que nous l'avons indiqué plus haut, la stratégie avait commencé à évoluer dans un sens plus précis avec la promotion de Cameron au deuxième rang de la hiérarchie. Les « éléments disparates » que James avait glanés en cours de route ont depuis longtemps disparu. L'homogénéisation va s'intensifier ; la société se départira de tout ce qui n'est pas directement relié aux services financiers. La recette du milieu qui commande d'embrasser l'éventail complet des services financiers, est suivie au pied de la lettre. Le rapport annuel témoigne des nouvelles préoccupations de l'administration :

> *L'industrie des services financiers s'est transformée considérablement parce que les consommateurs sont mieux renseignés et que la masse des épargnes ne cesse de grandir. Pour ne pas être en reste avec cette révolution, il faut*

> *pouvoir offrir au consommateur une grande variété de produits. La gestion d'un tel système nous oblige en même temps à continuer d'investir lourdement dans les techniques informatiques. Notre entreprise a besoin* d'économies d'échelle *pour couvrir ces frais. Le marché est irrévocablement engagé dans la voie de l'intégration des services.*

Les *économies d'échelle* ne sont pas recherchées pour réaliser des objectifs sociaux, mais pour réduire les frais. Ce refrain avait commencé à se faire entendre dès 1983 ; rares auparavant, les documents relatifs à cette stratégie se sont mis à proliférer après la promotion de Cameron. En 1985, l'énoncé des objectifs, conçu au siège social et distribué aux divisions, faillit utiliser « guichet unique », l'expression à la mode :

> *Le groupe cherche à établir des réseaux de distribution ou à se joindre à des réseaux actuels pour atteindre plus de consommateurs. Il compte mettre sur pied un réseau national de courtage pour promouvoir la vente de produits intégrés d'assurance-vie et d'assurances générales. Il cherche aussi à s'associer avec des commerces de détail pour promouvoir la vente de services financiers par l'entremise de points de vente au détail.*

Ainsi la stratégie est de plus en plus claire. Les artisans ne croient pas à l'idée du guichet unique pour les services financiers, mais ça leur est égal. L'un m'a dit, en 1987 : « Je me contente de garder la tête basse et de veiller au grain. C'est ce qui compte. » Pour lui, la diffusion en réseau et la synergie sont des notions théoriques, peut-être impraticables par définition. Les artistes ne veulent d'aucune façon contrecarrer la stratégie officielle, à moins qu'elle ne leur mette des bâtons dans les roues. Ils en tiennent peu compte, ne font pas circuler de tels documents dans leurs secteurs – au grand dam des technocrates – et continuent de faire ce qui leur semble important – accumuler des actifs. L'actif du secteur des technocrates reste stable tandis que celui du secteur des artistes grimpe en flèche. Il quintuple au Canada, double aux États-Unis et triple dans l'ensemble du secteur.

Les développements

Cobb, en poste à Londres, n'est presque plus présent au siège social. Il passe la moitié de son temps à bord du Concorde et participe aux négociations de fusion au Canada et aux États-Unis. Quand il est à son bureau, il est occupé par ses propres affaires. En 1987, un courtier l'informe qu'une chaîne de commerces de détail au Royaume-Uni serait favorable à une proposition de fusion avec une société de services financiers. Cobb propose une autre *alliance stratégique*. Elle devient le cinquième grand axe de développement, imitant l'expérience Sears aux États-Unis, mais il faut quelqu'un pour s'en occuper. Trop absorbé par ses projets outre-mer et à l'intérieur, Cobb est persuadé qu'il faut confier la mission à un autre. Bill, l'un de ses vice-présidents, en est chargé. Bill est un artisan à tendances artistiques. « Honnête », « humain », jamais « distant », « intransigeant » ou « pointilleux », il passe parfois pour « drôle », « émotif » et « entrepreneurial ». Il doit relever du président du conseil par l'entremise du technocrate Judd, parce que Judd est au siège social et dispose de « plus de temps », dit-on. Bill n'est pas très heureux d'être sous les ordres de Judd – il le connaît –, mais il brûle de relever le défi.

Centralisation/décentralisation

La morale traditionnelle et le langage officiel du groupe prônent la décentralisation – autonomie des divisions et de leurs propres conseils d'administration –, contrairement à ses actions. Il y a d'abord un problème de dimension. Plus le groupe s'étend et se diversifie au Royaume-Uni et outre-mer, plus le centre se sent coupé de l'action dont il porte cependant la responsabilité. Deuxièmement, la stratégie, qui incite le groupe à toucher à tous les secteurs de l'industrie financière, semble impliquer pour certains un besoin de « synergie » : si on vend des assurances générales à un client, on peut aussi lui vendre de l'assurance-vie ou un fonds commun de placement. Les diverses unités doivent donc être en mesure de collaborer, question complexe et délicate entraînant, entre autres, un système élaboré de rémunération des vendeurs. Troisièmement, le centre et les directions de division se livrent à une épreuve de force. Ce conflit, loin d'être particulier au groupe, est alimenté par des jalousies personnelles et des différences de style fondamentales. Ainsi, un artiste dit de Cameron : « Il parlait toujours de décentralisation. C'était ce qu'on *attendait* de lui. Mais ses actions étaient toujours centralisatrices. » Pour un technocrate, féru d'ordre et de contrôle, la décentralisation est synonyme d'anarchie et il ne peut littéralement pas la sentir. Enclin à intellectualiser par réflexe de défense, il lui semble que les deux premiers facteurs – la dimension et la synergie – justifient parfaitement ses décisions. La question de la technologie fait crever l'abcès.

Le service à une clientèle de plus en plus diverse et exigeante signifie de lourds investissements dans les techniques informatiques. La synergie, fait-on valoir, commande d'« harmoniser » ces investissements afin d'assurer la compatibilité des systèmes. La prolifération de systèmes distincts entraînerait d'énormes dépenses, peut-être un double emploi, des frais d'exploitation plus élevés que nécessaires et l'échec éventuel de l'objectif « synergie ». Il est « logique » que Judd, installé au siège social et libéré de la gestion quotidienne de son secteur par la présence d'un artisan digne de confiance, assume la responsabilité de l'« harmonisation » informatique ; il est aussi « logique » que les divisions s'y opposent. Les artisans et les artistes en tête des divisions considèrent l'intervention de Judd comme une intrusion, une restriction de leur capacité d'innovation dans un domaine critique pour leur compétitivité, et une lutte manifeste pour le pouvoir. Ils croient que le succès de l'informatique repose sur le traitement décentralisé des données. Qui avait raison ? Quoi qu'il en soit, le débat ne portait pas sur les « faits ». Au cours d'une conversation, en 1987, un artisan m'a proposé une explication : « Il [Judd] se fiche des frais et de la synergie. Il tente simplement d'accroître son empire et son pouvoir. » Fort de l'appui total de Cameron, Judd réussit à dépouiller les divisions de leur liberté de décision dans d'importants secteurs.

Ce qui vaut pour l'informatique vaut aussi, à un degré moindre et avec de moindres répercussions sur les finances et la liberté de décision, pour le marketing. La « synergie » exige de puiser dans les banques de données de la clientèle de chaque filiale et de mettre au point des formules communes de commercialisation. Le vice-président responsable, sous les ordres de Judd au siège social, joue un rôle « encourageant » à cet égard et ne s'impose pas. Mais le moindre signe d'hésitation ou de tiédeur des directions de division ne passe pas inaperçu.

La synergie exige des plans. Un cadre du siège social, aussi sous les ordres de Judd, est chargé de « travailler avec les filiales » à la rédaction de plans stratégiques quinquennaux susceptibles d'être « harmonisés ». Les divisions s'y plient, sauf une, sous la direction d'un artiste récalcitrant. « Ils veulent des plans quinquennaux, mais ce n'est qu'une excuse pour ne pas travailler, m'a-t-il dit. Ils ne font que griffonner des tonnes de papier qui sont ensuite détruites ; donc à quoi ça sert ? Est-ce que ces gens-là peuvent mettre un produit au point et le vendre ? Non. Ils répètent dans leurs plans qu'ils vont mettre au point tel et tel produit, mais ils ne peuvent pas le faire. » Son intransigeance va lui coûter cher. Une fois par an, une retraite de deux jours est organisée, non pas pour consulter les divisions, mais pour s'assurer que tout le monde est d'accord avec le siège social.

Les activités de « planification » accélèrent les désinvestissements. Si une entreprise ne correspond pas exactement au plan, on s'en débarrasse ; on n'a pas de temps à perdre avec les rêves. Ainsi, durant cette période, les actifs accumulés dans un secteur sont plus qu'annulés par les désinvestissements dans un autre secteur, de sorte qu'au total ils plafonnent. Les désinvestissements sont pilotés du siège social par nul autre que Judd.

Le temps de la philosophie, de l'humanité, de l'amour et de l'amitié est révolu. Une nouvelle ère s'installe. L'« amitié » fait place à l'« efficacité » ; l'« amour » à la « rationalisation » et aux « économies d'échelle » :

> *Dans notre recherche d'une plus grande* efficacité, *la collaboration de nos diverses filiales nous a été d'un grand apport... La fusion des finances et des ressources humaines nous permet de bénéficier d'*économies d'échelle *et des derniers progrès technologiques.*
>
> *Dans un but de* rationalisation, *nous avons procédé à la réorganisation de [la société X], à la vente de [la société Y] et nous continuons de nous concentrer sur la* coordination *de la technologie et du marketing.*

Coordination, et comment ! Les finances, les ressources humaines, le développement des systèmes informatiques et du traitement de données, la planification et le marketing sont désormais « coordonnés ». Le mot « coordination » pour « contrôle » est un euphémisme... et « contrôle » l'est aussi pour « centralisation » !... Ils ont pour sous-produit la démoralisation.

Style de gestion

L'obligation qu'a le siège social d'approuver le plan ouvre la porte à un examen plus serré du style de gestion dans les divisions. Un artisan écrit dans sa « déclaration de mission » que son entreprise doit être, entre autres, « un endroit où l'on s'amuse ». Il ajoute qu'il envisage de créer une « vice-présidence de l'impossible ». Cameron ne la trouve pas drôle. Ces passages de la déclaration sont biffés. Ailleurs, un artisan décide d'introduire un programme de visites régulières des points de vente – la gestion-promenade. Cameron juge que c'est une « perte de temps ». Le président du conseil estime que le cadre a mieux à faire que de causer avec le personnel. L'une de ces « choses les plus importantes » est de réaliser des bénéfices.

Le rythme des acquisitions avait été une source d'euphorie dans les milieux financiers et avait fait grimper le cours des actions, mais à quel prix ! Il faut beaucoup de temps, d'efforts et d'argent pour former des équipes viables dans les unités, toujours plus que prévu. Et les acquisitions ne sont pas toujours fructueuses. L'une se révèle désastreuse au Canada, drainant les surplus normalement enregistrés dans la région. Persuadés que le cours des actions suivrait les bénéfices plutôt que la croissance, Cameron et Judd, son sous-fifre spirituel, entreprennent une campagne pour augmenter les profits à court terme. Dans les plans, l'accent est mis non pas sur le développement à long terme, mais sur le rendement du capital investi. L'exercice d'« harmonisation » des visions se transforme en ultimatum : 15 % de rendement sur les investissements ou la porte. Un artisan m'a dit avec dédain : « Quinze pour cent de rendement d'ici 1995, c'est une farce. Nous serons morts en 1995. »

Changement structurel

Bientôt Cameron ne sait plus où donner de la tête, d'autant que les organismes de réglementation sont partout très actifs et exigent une vigilance constante. Comme de raison, cette responsabilité repose largement sur les épaules du président du conseil en tant que représentant visible de l'entreprise. En outre, Cameron se fait vieux. Désirant assurer la relève sans heurt, il juge qu'il est temps d'élever l'un de ses subalternes au deuxième rang. Il a le choix entre un artiste, Cobb, qui dirige de loin le plus grand secteur, et son sous-fifre du siège social, le technocrate Judd. Personne ne s'étonne quand il désigne Judd. « Qui se ressemble s'assemble, dit un artisan. Ce sont des clones. » « C'était à prévoir depuis un bon moment », commente un autre artisan déçu. Ainsi, au milieu de la période, des modifications à l'organigramme sont apportées (voir p. 129).

Bénéfices : la nouvelle « stratégie »

Avec deux technocrates en tête, l'intérêt pour la « synergie » commence à se dissiper. Il est temps de « prendre les choses au sérieux ». Cette question de synergie n'est peut-être qu'une distraction ; il faut s'efforcer d'administrer le mieux possible les secteurs fondamentaux du groupe. Un technocrate décrit ainsi la nouvelle stratégie :

> *Du temps de James, c'était le culte de la personnalité. Les choses arrivaient sans qu'il s'en rende compte ; en ce sens, que tout était* opportuniste. *Il n'y avait* pas de stratégie. *Pourquoi était-on au Canada, aux États-Unis ? Il n'y avait aucune logique là-dedans. Puis, on a eu recours aux professionnels Cam et Judd pour mettre de l'ordre. Ils ont bâti le groupe autour d'un concept qui ne marche pas : la synergie. Le guichet unique, comme un magasin général.*

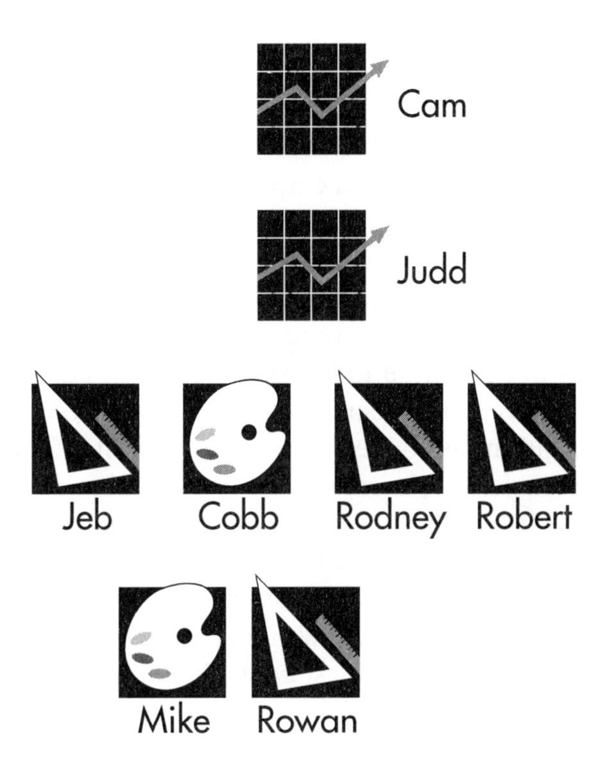

Figure 3. Structure à la fin des années 80

Mais il n'y a pas eu de révolution, simplement une évolution. Chacun travaille mieux dans son secteur.

Mais tout le monde disait que la « synergie » s'imposait ; c'était la mode. Nous évoluons dans une nouvelle époque – où « on s'occupe de ses oignons » – et les technocrates emboîtent le pas. Les artisans, qui se sont toujours « occupés de leurs oignons », rient dans leur barbe, mais ce qui est décrété au nom de ce principe ne les amuse guère. « S'améliorer » veut dire devenir plus profitable, sur-le-champ, instantanément.

Canada

Les filiales canadiennes, naguère source importante de bénéfices pour le groupe, drainent maintenant des fonds. Le rachat d'une entreprise deux ans auparavant a très mal tourné. Le contrôle comptable préalable était grossièrement erroné. La compagnie était en bien plus mauvais état qu'on ne l'avait imaginé et perdait quantité d'argent. Mike, l'artiste responsable du secteur, en prend pour son rhume de même que Cobb, son patron de Londres, puisque les comptes du groupe canadien sont intégrés à ceux de son secteur. Mike insiste pour qu'on lui donne du temps ; Cobb est blâmé pour lui en accorder. Judd, désormais patron de Cobb, insiste pour qu'il remplace Mike par quelqu'un qui sait ce qu'il fait. Pour lui, cela veut dire un technicien, un actuaire, un comptable, un « homme de finances ». Mike est provisoirement catapulté à un poste supérieur pour l'éloigner de la direction des opérations quotidiennes et il est congédié moins de six mois plus tard.

COBB :

J'ai protégé Mike pendant longtemps, mais je ne pouvais pas le faire indéfiniment. Il résistait. Il était trop insolent. Il disait toujours le fond de sa pensée et c'était très dangereux. Ils n'ont jamais eu de patience avec les investissements. Ils paniquent. Je n'ai pu parer à leur attaque à l'époque, étant moi-même en position de faiblesse.

MIKE :

Cobb n'était pas à blâmer. C'était eux. Ils n'ont aucun respect pour la compétence, l'expérience. Enfant déjà, je recherchais les conseils des plus âgés. Ils pensent que les enfants prodiges peuvent tout mener. Ils n'ont aucune tolérance pour l'erreur. C'est à tâtons qu'on apprend. S'ils m'avaient laissé mettre fin à la saignée, j'aurais pu endiguer les pertes. Mais non, ils s'étaient mis en tête que j'avais créé le problème et que je ne pouvais pas le résoudre. C'est l'excuse qu'ils cherchaient. Ils attendaient juste que je me casse le nez. J'aurais dû le prévoir, mais je ne l'ai pas prévu. Je ne les croyais pas si bêtes. Je priais avant les réunions. « Dieu, faites que je me taise ! » Mais ça n'a jamais marché. Ils voulaient des plans quinquennaux, mais ce n'était qu'un prétexte pour ne pas travailler. Ils ne font que griffonner des tonnes de papier qui sont plus tard détruites de toute façon. Donc, à quoi ça sert ? Savent-ils mettre un produit au point et le vendre ? Non, ils disent dans leurs plans « nous allons mettre au point tel et tel produit et le vendre », mais ils ne peuvent pas le faire. Ils ne connaissent pas les vendeurs. Ils ne peuvent pas les souffrir. Moi, je leur rends honneur. J'attache beaucoup de valeur à ce qu'ils font. Ils sont précieux ; leur travail est inestimable. Il faut aimer ce qu'on fait pour le faire bien. Eux, ils n'aiment rien. Moi, j'obéissais à mes instincts. Quatre-vingt-dix-neuf pour cent du temps, ça marchait. J'ai fait une erreur et je me suis retrouvé à la porte. Qu'est-ce qu'ils vont faire maintenant ? Ils ont cueilli tous les fruits de l'arbre pour gonfler artificiellement les bénéfices. Qu'est-ce qu'ils vont faire maintenant ? Il n'y a pas d'air frais. Ce sont des destructeurs, comme les technocrates soviétiques. C'est pour ça que la Russie s'écroule. Les parasites vivent de la productivité des autres et finissent par détruire ce qui les fait vivre... O.K., je me suis fourvoyé, mais ils ne reconnaissent jamais qu'ils font aussi des erreurs. Pour eux, les gens doivent être parfaits. Que des actifs, pas de passif. C'est tellement irréaliste.

Dans ce cri du cœur, nous entendons le mépris de l'artiste pour les exercices de planification ; cela, il le paye. Nous entendons sa foi dans l'instinct – il la paye aussi. Nous entendons, encore une fois, les mots que nous avions déjà entendus, prononcés par James : « amour », « honneur » et « valeur ».

CAMERON :

Vous savez, c'est la seule chose que je regrette ; je n'aurais jamais dû le laisser acheter cette compagnie. J'avais de grands doutes, mais il insistait tellement. C'est malheureux.

Cameron était président de son conseil, donc le supérieur de Mike. L'acquisition était sa responsabilité en fin de compte, mais il n'en accepte aucune. Ce que ne dit pas Cameron importe plus que ce qu'il dit ; il n'a pas de remords au sujet de son congédiement – Mike a commis une erreur et, de même que la nuit suit le jour, il doit la payer. Cameron regrette simplement de ne pas avoir maintenu un système à l'épreuve des erreurs, de ne pas avoir « dominé la situation ».

UN MEMBRE DU CONSEIL :

Ils n'auraient jamais dû remercier Mike, mais il était exactement comme James et Cobb. Il avait de nouvelles idées et les mettait en pratique. Ce sont des tempéraments entreprenants, impulsifs, opportunistes... ce que Cam n'est pas... Mais je ne sais pas, peut-être est-ce une phase. Vous savez, la croissance, la passion, et une période de réorganisation à n'en plus finir, puis une nouvelle phase de croissance... Ce n'est que par une OPA hostile que l'expansion peut se manifester. Ce ne sont pas ces types-là qui vont créer les occasions.

Mike a été remplacé par un technocrate.

États-Unis

L'acquisition qui a d'un trait doublé les actifs américains a aussi doublé les maux de tête de Rowan. Le siège social a été forcé d'emménager dans des bureaux plus grands. Les indemnités des équipes de vente avant la fusion étaient complètement différentes et les systèmes de comptabilité n'étaient pas en mesure de traiter la nouvelle charge. « Des choses ont été égarées. » Les systèmes informatiques étaient incompatibles et trop faibles. Il n'y a pas eu, ou du moins, n'a pas semblé y avoir de « contrôle ». Quoique raisonnables, les profits étaient inférieurs aux attentes. Les économies post-fusion ont mis du temps à se matérialiser. Un fouillis, bref. Rowan est un artisan. Il croit qu'il faudra du temps, mais que les choses finiront par s'arranger. Il estime qu'il ne peut pas pousser sur le système davantage qu'il ne le fait déjà, sous peine de créer des problèmes plus sérieux : vendeurs mécontents, démoralisation, baisse de la production. Il faut du temps, c'est tout. C'est *irréaliste* de penser autrement.

ROWAN :

Je ne sais pas pourquoi c'est arrivé. Les profits étaient conformes au budget; les primes étaient payées. Je suppose qu'ils en voulaient davantage. Les feux de la rampe se sont braqués vers nous quand les choses ont commencé à se gâter là-bas. Je suppose qu'ils avaient besoin de nous pour compenser. Ils en voulaient davantage et plus vite. Mais les délais étaient trop courts. Ils ne comprenaient pas vraiment notre situation. Trop loin du plancher des vaches pour comprendre comment les affaires se goupillent. Leurs attentes étaient exagérées. En personne, tout allait pour le mieux dans le meilleur des mondes. Je suppose qu'ils sont honnêtes, mais ils ne sont certainement pas francs. Maintenant, le groupe entier ressemble à un individu qui a subi une lobotomie frontale. Aucun souvenir. Ils ont congédié tous ceux qui connaissaient le métier. Ils n'ont pas de respect pour l'expérience. Ils engagent un certain type d'homme qui fera le travail sans élever d'objections, sans critiquer. Ils ont une idée précise du style de gestion qu'ils veulent et tout le reste leur semble aberrant. Aucun homme qui veut faire sa marque ne réussira avec eux. Leur stratégie était très ténébreuse. Ils semblaient fascinés par l'idée de jouer avec le truc – les structures, les systèmes. Maintenant, ils ont épuisé tout ce qu'il y avait de bon et l'organisation est vraiment anorexique. Ils semblaient penser qu'il était possible de croître et de s'étendre sans rogner les bénéfices. Mais n'importe quel enfant d'école vous dira le contraire. Ils me font penser à la petite vieille dame qui dit : « Je veux des gains en capital et des revenus. » C'est complètement irréaliste.

Ici, nous percevons encore la consternation de l'artisan. Comment peut-on croire qu'il soit possible de pousser plus fort dans le dos du personnel ? Quiconque croit à la franchise, à l'honnêteté, au réalisme, trouve le technocrate déraisonnable, irréaliste et même enfantin avec ses théories de gestion qu'il défend avec un dogmatisme infantile.

JUDD À PROPOS DE ROWAN :

Ce n'était pas un gestionnaire, point final. Ça le dépassait. C'était un conseiller. Il était inconstant, imprévisible, imaginatif, visionnaire. Un bon gars. Très aimable. Un gars d'idées, mais pas un gars pour mener une affaire. Il ne savait pas comment travailler.

Judd nous donne une réponse typique de technocrate. Pour lui, Rowan est fort aimable et il n'a rien de personnel à lui reprocher. Il n'y a pas d'affect, pas d'émotion ici. C'est purement une affaire de jugement et de réalisme. Rowan ne peut pas faire le travail et doit démissionner. Rien de personnel. Sans rancune. Il laisse aussi entendre que Rowan n'est pas travailleur, contredisant ses collaborateurs immédiats. Judd estime qu'un directeur général doit consacrer 150 % de son temps au travail, le loisir étant un luxe interdit.

UN ADMINISTRATEUR, À PROPOS DE ROWAN :

Il était prévenant et avait de très bonnes manières. Il congédiait des gens, mais le faisait gentiment. Il était travailleur et très dévoué, très ouvert d'esprit et parfois en avance sur son temps. Je ne sais pas ce qu'ils voulaient.

Rowan est remplacé par un technocrate.

Royaume-Uni

Les états financiers des groupes du Canada et des États-Unis sont intégrés directement aux états financiers de Cobb. Le krach boursier de 1987 a un effet négatif sur les bénéfices, même si les pertes peuvent être amorties sur quelques années. Cela le rend plus vulnérable. En outre, la façon dont Cobb traite la situation au Canada ou aux États-Unis – ou ne la traite pas, de l'avis général – confirme l'opinion de Judd et de Cameron sur ses « aptitudes de gestionnaire ». « Il n'est tout simplement pas un bon gestionnaire », dit-on. Bien sûr, sa tiédeur pour l'« harmonisation » des techniques informatiques et du marketing ou des synergies n'aide pas. Le fait qu'il soit le seul autre candidat sérieux à la direction ne facilite pas non plus les choses. On décide qu'il a besoin d'« aide », d'un « pro » pour le seconder. Ce « pro » doit faire partie de son conseil d'administration et devenir chef de la direction, tandis que Cobb sera catapulté à un poste supérieur où « ses talents seront mieux exploités ». Il a déjà été témoin de ce genre de manœuvre et sait ce qu'elle signifie. Ross, un autre technocrate, prend la direction.

UN ADMINISTRATEUR :

Dès que Judd a eu gain de cause, Cobb a perdu courage. La situation a bien sûr été aggravée avec l'arrivée de Ross et les frictions perpétuelles de Cobb avec Cam, mais le sort en était jeté, fondamentalement. Il lui fallait partir. Il ne pouvait plus changer la dynamique. Il ne pouvait absolument pas s'entendre avec eux.

Le conseil d'administration résiste, en vain. « Les actionnaires finissent par obtenir ce qu'ils veulent », dit un membre du conseil. Judd et son protégé, Ross, un technocrate, prennent le pouvoir. Cobb est vidé.

Les technocrates aiment Cobb en général ; c'est du moins ce qu'ils disent. Ils le trouvent « intuitif », « imaginatif », « visionnaire » ; bref, ils reconnaissent les traits artistiques de son tempérament. Le problème, disent-ils, c'est qu'il ne peut pas faire le travail.

UN TECHNOCRATE :

Il était dans les nuages. Sur une centaine d'idées nouvelles, il pouvait en avoir une d'utile. C'est terriblement inefficace. Les gens sous sa direction se sentent frustrés. C'est impressionnant, mais ça finit par démotiver. Le monde ne peut pas se passer d'eux, mais nos entreprises peuvent sûrement s'en passer.

UN ARTISAN DÉCRIT AINSI L'« ERREUR » DE COBB :

Il était visionnaire. Son temps était absorbé par les acquisitions et les opérations à l'étranger et il a eu le tort de faire confiance à son personnel pour s'occuper du siège social. Il n'a jamais mis en œuvre [au siège social] *le système qui aurait permis l'administration décentralisée des filiales. La charrette a donc commencé à perdre ses roues.*

COBB :

Tout était affaire de stratégie. Mais qu'est-ce que c'est que la stratégie à la fin ? Un grand plan ? Non. On essaie d'inculquer sa vision aux autres et de les en imprégner. La stratégie jaillit de l'astrologie, de l'excentricité, du rêve, de liaisons amoureuses, de la science-fiction, de la perception de la société, de quelque folie probablement, de l'aptitude à deviner. C'est clair, mais fluide. L'action la précise. C'est très vague, mais ça se clarifie en cours de route. La création, c'est la tempête. *Ils échafaudent toujours des théories, disant « sauf imprévu », mais cela ne laisse pas de place à l'imprévu. Ça suppose qu'on connaisse l'avenir. C'est une camisole de force, une porte étroite. L'imprévu n'est pas censé arriver, mais il y a des mesures gouvernementales imprévisibles, des changements économiques, des fraudes, des départs d'hommes clés, des changements technologiques imprévisibles. Ces gens-là vivent hors de la* réalité. *On ne devrait jamais permettre au plombier d'être ingénieur parce qu'il installera les tuyaux au-dessus des machines sous prétexte qu'ils seront plus faciles à placer et qu'ils coûteront moins cher à réparer plus tard. Bien sûr, dans l'intervalle, les gens ne peuvent pas travailler.*

Vers la même époque, deux artisans, Rodney et Robert, perdent aussi leur emploi. Dans les deux cas, les technocrates disent : « Ils ne pouvaient pas faire le travail, voilà tout. » « Il n'a pas évolué avec son époque. » « Il était dépassé. » « Il n'était pas assez dur. » « Il était assommant. » « Il n'avait pas de personnalité. » Ils sont remplacés par David, technocrate, et George, artisan (erreur qu'on corrigera plus tard). George ne tarde pas à se sentir très mal à l'aise.

UN ARTISAN (M.B.A.) EXPLIQUE :

Ils dépouillent les entreprises de leur essence en quelque sorte, les vident de leur sens. Je pense que c'est un effet des ingénieurs et des M.B.A. des années 80, la mentalité technocrate. Mais partout, c'est un échec. On commence à s'en rendre compte.

Le discours officiel change. On met l'accent sur la « réorganisation », la « rationalisation », la « consolidation », les « structures » et les « bénéfices » :

Nous nous appliquons à renforcer [lire congédier] *nos équipes de direction, à stabiliser et surtout à* rationaliser [lire supprimer, vendre] *nos activités. Nous procédons aussi à la révision de nos* structures [lire nouveaux organigrammes] *d'exploitation afin de promouvoir la réalisation de nos objectifs et d'améliorer notre rendement* [lire nos bénéfices trimestriels].

L'année suivante, on reprend les mêmes thèmes :

L'amélioration de nos résultats résulte de divers changements : le renforcement de nos équipes de direction, la rationalisation de nos entreprises et la concentration de nos activités.

Un nouveau timonier

Avant la fin de la période 1985-1990, Cameron a abandonné la présidence du conseil au profit de Judd, malgré l'opposition des actionnaires minoritaires siégeant au conseil.

UN ADMINISTRATEUR :

Nous avons tout fait pour l'éviter, mais il ne voulait rien entendre. Il est têtu. Il ne voulait rien entendre et, à moins d'une bataille de mandataires, il n'y avait rien à faire. D'ailleurs, il n'y avait plus d'autre candidat possible à l'intérieur. Il faut attendre. Tôt ou tard, ils feront une erreur. Les choses vont se détériorer et nous serons là pour les remettre en place.

UN AUTRE ADMINISTRATEUR AJOUTE :

Je suis allé le voir à l'époque parce que j'étais sûr qu'il choisirait Judd. Je n'étais pas nécessairement en faveur de Cobb ; je n'étais pas sûr non plus qu'il était l'homme qu'il nous fallait. Au pire, nous aurions pu trouver un candidat à l'extérieur. Je ne faisais pas confiance à Judd. Il semblait toujours avoir le bon mot au bon moment et cela me mettait terriblement mal à l'aise. J'estimais qu'il n'avait ni l'intelligence ni la profondeur nécessaires pour mener une affaire d'une telle envergure et d'une telle complexité. Cam a été très défensif et il s'est même mis en colère. Il a dit que Judd était brillant, qu'il avait remis son secteur sur pied et qu'il n'en démordrait pas. Il m'a montré la porte de son bureau.

J'ai demandé à Cameron si Judd avait déjà été en désaccord avec lui. « Non, m'a-t-il répondu, mais qu'est-ce que cela a à voir avec ça ? » (Le technocrate est docile *jusqu'à* ce qu'il arrive au pouvoir; c'est un compulsif, n'est-ce pas ? Ses relations sont édifiées sur la domination et la soumission.)

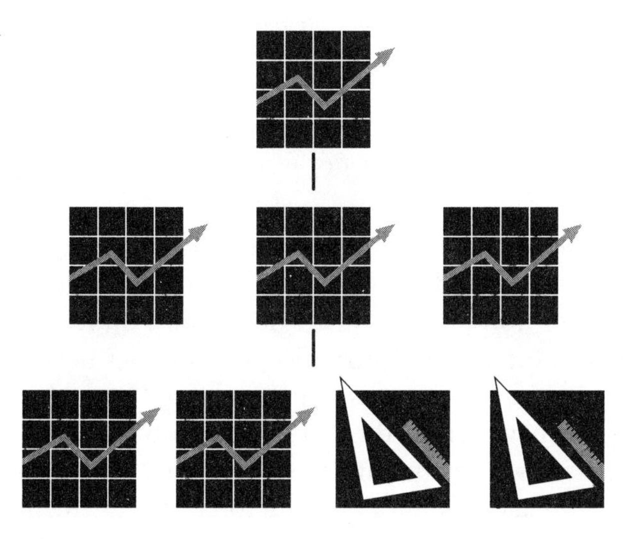

Figure 4. Structure en 1990

Avec l'avènement de Judd, l'organigramme de l'entreprise change d'allure. Les artistes James, Mike et Cobb et les artisans Rowan, Rodney et Robert sont tous partis. Deux autres artisans, George et Bill, sont rétrogradés et un troisième, Jeb, sait qu'il sera la prochaine victime. On doit lui « adjoindre » un nouveau venu – selon toute vraisemblance, un technocrate. En fait, vers la fin de ma recherche, Jeb est catapulté à un poste supérieur et ses jours sont comptés (il sera congédié un an plus tard). Finalement, tous les pouvoirs sont entre les mains des technocrates.

Stratégie

Un rapport tire la conclusion suivante :

Conformément à la tendance mondiale des grands groupes financiers, nous avons entrepris en 1989 et poursuivi en 1990 un vaste programme en vertu duquel nous avons regroupé nos opérations, vendu des actifs et rationalisé nos activités. Nous travaillons désormais dans deux secteurs : les assurances et les banques... De nouveaux chefs de la direction ont été nommés et la rentabilité est notre stratégie.

« La rentabilité est notre stratégie » ; c'est, de l'avis de plusieurs, une contradiction dans les termes. La rentabilité est un résultat et non pas une stratégie. Quand on lui demande ce qu'est la stratégie de l'entreprise, l'un des derniers artisans en place répond : « Je ne sais vraiment pas. » Un technocrate, assez fraîchement arrivé, dit : « J'en sais trop rien. On semble se concentrer sur les profits à court terme. Je suppose que c'est une stratégie. Il y aura une réunion prochainement. Peut-être que j'en apprendrai davantage. » Il n'apprend rien de plus, mais ça n'a guère d'importance puisqu'il est congédié peu après. Un autre technocrate, plus près du centre et davantage dans le coup, ajoute : « En fin de compte ? Des alliances. *Tout le monde sait* qu'il faut forger des alliances. Dans l'intervalle, il faut faire des bénéfices. » Le mot à la mode est « alliances stratégiques » – il est sur toutes les lèvres.

UN ARTISAN :

Ils ne savent pas. On a dépensé des milliards pour la planification stratégique, mais la question n'est pas là. Il faut une pensée stratégique. Le plan vient après, il s'ajuste au « profil » de ce qu'on veut devenir. James et Cobb imaginaient le « profil », ils avaient une vision de l'avenir. La planification stratégique sonne le glas de la pensée stratégique. Une fois que c'est sur papier, le travail est fait !

Même s'ils avaient une vision, comment la réaliseraient-ils ? Il n'y a pas de continuité à la direction. Au meeting de planification cette année, il n'y avait plus que quatre des quatorze personnes présentes en 1988. Tous les deux ans, il y a un nouveau chef de la direction. Il n'est pas permis de se tromper, donc il n'y a pas de continuité. Ils se concentrent sur les bénéfices, mais ils n'en auront jamais puisque les bénéfices proviennent de la vision et des gens et ils refusent d'investir dans le personnel. Si vous prenez soin des gens, le bénéfice suit. Vous ne pouvez pas le rechercher directement. Douze et demi pour cent de rendement sur le capital investi, c'est une blague. Nous serons morts d'ici 1995. Ils refusent de le reconnaître. On ne peut corriger un problème sans d'abord savoir qu'il existe. C'est comme si je me regardais dans le miroir et que je me voyais en jeune premier plutôt qu'en homme d'âge mûr qui perd ses cheveux et dont la poitrine tombe sur le ventre. Il faut voir la réalité pour la changer.

La nouvelle « équipe »

COMMENT LES TECHNOCRATES
SE PERÇOIVENT MUTUELLEMENT :

C'est un poids léger. Ils le sont tous. Des amateurs.

On est trop dur envers lui. Ce n'est pas un poids léger. C'est vrai qu'il n'est pas brillant, mais il a mis de l'ordre dans son secteur.

C'est un âne.

Pas beaucoup d'esprit d'équipe de ce côté-là !

LES TECHNOCRATES DES RÉGIMES PRÉCÉDENTS :

Du temps de James, c'était facile. *Les choses allaient lentement et on pouvait se permettre de faire des erreurs. Aujourd'hui, si vous faites une erreur, vous le savez sur-le-*

champ et les conséquences sont beaucoup plus graves. On ne peut pas prendre de tels risques maintenant.

Les technocrates estiment toujours que les choses étaient plus simples avant, que leur époque est plus complexe, plus difficile et qu'elle exige beaucoup plus de raffinement. Ils sont narcissiques.

James, Cobb et Rowan étaient des rêveurs, pas des entrepreneurs. Ce sont ce que j'appelle des « conseillers ». Maintenant, nous avons des bâtisseurs. Ils sont conservateurs naturellement, mais si vous ne l'êtes pas, vous risquez de tout perdre. James usait toujours de métaphores. Il fallait un professionnel *comme Cam pour mettre de* l'ordre *là-dedans.*

Eh bien ! l'entreprise a démarré avec optimisme et s'est ouverte sur le monde. Elle s'est étendue et s'est consolidée grâce aux artistes et aux artisans. Maintenant, elle est *ordonnée* et remplie de *professionnels*, tous attentifs aux systèmes et aux bénéfices. L'artisan qui m'a dit en 1990 : « Douze et demi pour cent de rendement sur le capital investi, c'est une blague. Nous serons morts d'ici 1995 » se trompait. Au moment où j'écris ces lignes, en février 1994, le rêve de James est déjà raide mort. La vision et l'entreprise qu'elle a fait naître et grandir, se sont effondrées. Réduite à de maigres profits et échangeant ses actions à moins de la moitié de leur valeur comptable, elle prêtait flanc à une prise de contrôle. Quelques-uns se sont tirés des ruines sans égratignure. Il y a eu beaucoup de victimes et des vies ont été gâchées irrémédiablement.

Voyons pourquoi.

CHAPITRE VI

L'effondrement de la vision

Nous sommes aussi partagés sur l'héroïsme que nous le sommes sur les objectifs quotidiens qu'il sacrifie. Nous luttons pour nous accrocher à une vision de l'incomparablement grand tout en restant fidèles aux notions modernes dominantes de la valeur de la vie ordinaire. Nous sympathisons avec le héros et l'anti-héros et rêvons d'un monde où l'un pourrait à la fois incarner l'un et l'autre.

Charles Taylor,
Sources of the Self[1]

QUE NOUS RACONTENT ces quinze ans d'histoire de l'entreprise ? Je suis sûre que vous avez votre propre interprétation. C'est normal ; on entend diverses versions d'un même enregistrement. Voici ma version.

Je pense qu'un tas de raisons expliquent cet effondrement. On allègue le remue-ménage des institutions financières, qui a ébranlé notamment les caisses d'épargne et de crédit aux États-Unis, les assureurs et sociétés de fiducie au Canada. C'est vrai, mais pourquoi ce groupe en particulier a-t-il été chamboulé ? Pourquoi lui et non pas un autre, plus vulnérable ?

---

1. Charles Taylor, *Sources of the Self : The Making of the Modern Identity*, 1989, p. 24 (traduction libre).

On allègue aussi que le groupe en voulait trop, qu'il s'est laissé entraîner par l'euphorie des acquisitions et n'a pu régler l'addition. Fort bien, mais examinons cet argument de plus près. Certes James, dans un premier temps, puis Cobb et Mike, avec le soutien moral de James, ont cru que le premier objectif devait être d'édifier une base d'actifs assez solide pour soutenir la concurrence sur le marché mondial. Cobb dit qu'il faut viser haut pour atteindre ses objectifs parce qu'il y a toujours un glissement. Sur le dos d'une enveloppe, il a dessiné ce schéma pour moi. Voici l'explication qu'il m'en a donnée :

> *Disons qu'on a un objectif pour l'an 2000. Il faut viser une cible (point B) beaucoup plus élevée que l'objectif (point A) pour s'en approcher, parce que le monde évolue – concurrence, vieillissement, gouvernement, décès. Donc, on achète, on fait de la recherche et du développement, on explore de nouveaux marchés. Si on vise directement l'objectif (point A), on s'en écartera inévitablement et on aboutira au point C. Les « compresseurs » de coûts pensent se diriger vers l'objectif, mais tandis qu'ils ont le nez dans les livres, le monde change autour d'eux et tout s'effondre. En 1990, les deux cheminements se ressemblent, mais en l'an 2000 ils n'ont rien de commun.*

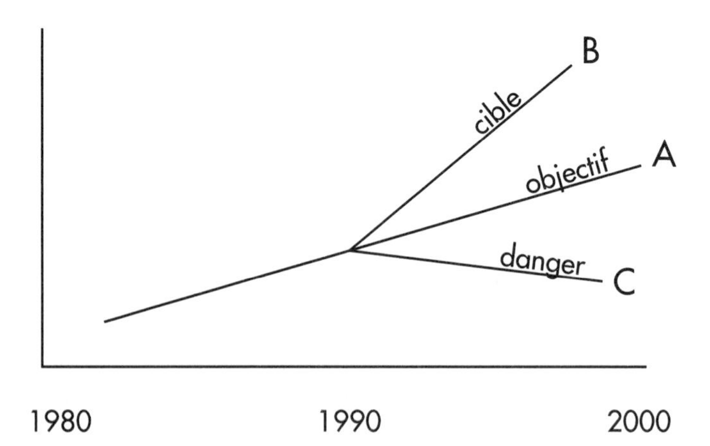

Voilà comment l'artiste « explique » l'effondrement. Trop d'énergie et de temps consacrés aux structures, à la réorganisation, aux systèmes, aux profits à court terme, et trop peu au développement de nouveaux produits et marchés.

Vous diriez peut-être que c'était inévitable. Le groupe était énorme – dix milliards de livres d'actifs – et *exigeait* des systèmes centralisés. Pourquoi ? Il n'y avait pas de problème de rentabilité du temps de James. James n'avait pas besoin de grands mécanismes de contrôle centralisés parce qu'il laissait à ses subalternes la liberté de décision. Il laissait les chefs de direction gérer leur secteur. Il faisait partie des conseils d'administration et posait parfois des questions embarrassantes. Mais en définitive, les divisions se gouvernaient elles-mêmes. James croyait qu'elles étaient plus aptes à le faire et connaissaient leur marché mieux que lui. Il leur faisait confiance. Et il avait d'autres chats à fouetter. L'artiste a *toujours* de nouvelles idées, de nouveaux projets ; c'est sa nature, son *caractère*.

Oui, mais la « synergie », direz-vous. La « synergie » exigeait qu'on travaille main dans la main. Eh bien ! c'est ce qu'on pensait à l'époque. C'était certainement à la mode. Moins de trois ans plus tard, on estimait que la « synergie » n'était plus nécessaire. J'ai donc du mal à croire qu'elle était « logique », une « règle » coulée dans le bronze. C'était plutôt une règle en papier mâché. Même les technocrates l'ont abandonnée après l'avoir invoquée pour réaliser leurs objectifs de centralisation. Il *faut* qu'ils centralisent. Me fais-je bien comprendre ? Ils invoqueront n'importe quelle théorie intellectuelle, n'importe quel prétexte pour centraliser. Ils *ont peur*, peur de se tromper. Ils croient être les *seuls* à posséder la Vérité. Ils sont les *seuls* à savoir faire les choses, les *seuls* « compétents ». C'est leur nature, leur *caractère*.

L'artisan est d'accord avec ce diagnostic. Il dit que le groupe s'est effondré parce qu'on s'amusait trop avec des bricoles. Mais il ajoute une autre raison, plus importante dans son esprit : « Maintenant, le groupe entier ressemble à un individu qui a subi une lobotomie frontale. Aucun souvenir. Ils ont congédié tous ceux qui connaissaient le métier. » L'artisan croit qu'on ne peut mener une entreprise sans expérience. On fait inévitablement des erreurs grossières, inutiles. On peut, par maladresse, par manque de compétence et de connaissances, aliéner et miner des marchés traditionnels. On ne peut pas « s'en tenir à ce qu'on sait faire » si on ne sait rien faire.

L'artisan croit aussi qu'une bonne stratégie ne dispense pas de personnel d'expérience pour faire le travail. Il pense, par conséquent, que la continuité du personnel est une condition *sine qua non* de la mise en œuvre d'une vision. « Même s'ils avaient une vision [ce qu'ils n'ont pas], comment la réaliseraient-ils ? nous a dit un artisan. Il n'y a pas de continuité à la direction. Au meeting de planification cette année, il n'y avait plus que quatre des quatorze personnes présentes en 1988. Tous les deux ans, il y a un nouveau chef de la direction. » Les nouveaux venus devaient tout apprendre à partir de zéro, surtout qu'en règle générale ils ne venaient pas de l'industrie des services financiers. « Ils pensent que les enfants prodiges peuvent tout mener. »

Pourquoi n'y a-t-il pas de continuité ? Parce que le technocrate ne tolère pas d'erreurs. « O.K., dit Mike, je me suis fourvoyé, mais ils ne reconnaissent jamais qu'ils font aussi des erreurs. Pour eux, les gens doivent être parfaits. Que des actifs, pas de passif. C'est tellement irréaliste. » Quant au technocrate, il vous répondra que c'est faux. Il connaît mieux que personne ce qui s'écrit sur la gestion. Il l'a lu. Il sait tout de la « responsabilisation » (*empowerment*), de la « loyauté », de la « gestion participative ». Il sait, théoriquement, qu'il faut permettre qu'on se trompe. Il peut faire de savants discours sur le sujet. Judd m'a un jour fait un laïus interminable sur la « gestion de la qualité totale », la nouvelle clé du succès qui plaçait le pouvoir dans les mains des gens, les « responsabilisait ». C'était, il va sans dire, après qu'il eut congédié et remplacé par des « pros » les « rêveurs » et les « incompétents ».

Au chapitre III, « Le chant funèbre », j'ai dit qu'entrer dans cette entreprise, c'était comme entrer dans une morgue. L'analogie n'est pas tout à fait juste : il n'y avait pas de cadavres dans les couloirs... En fait, il n'y avait personne. Mais les absents se faisaient sentir. Il y avait un climat de tension et de peur. « Qui sera le suivant ? » « Serait-ce moi ? » « Suis-je assez professionnel ? » Un artisan m'a dit : « J'essaie de me transformer en robot, mais je n'y arrive pas très bien. » Le résultat, c'est qu'on a fait la « grève du zèle », c'est-à-dire qu'on n'a rien fait qui puisse être interprété comme une erreur. On ne prenait plus de risques. Et on cherchait d'autres emplois. Ceux qui n'étaient pas congédiés partaient de leur propre gré. Il y avait une saignée de cadres d'expérience. L'artisan n'est peut-être pas « brillant », mais il voit cette saignée et en mesure nettement les conséquences. Il est « sage ». C'est son *caractère.*

Selon moi, la vision s'est effondrée parce qu'il n'y avait plus d'artistes dans l'entreprise, plus de « ponts jetés vers des rivages inconnus » – les rivages étaient trop bien définis. Les artistes n'étaient pas dignes de confiance. Ils passaient pour des fous et des rêveurs. Et il n'y avait plus d'artisans pour construire les ponts. Les artisans étaient pris entre deux feux : ni assez séduisants et « visionnaires » d'une part, ni assez « rigoureux » d'autre part. Ils perdaient sur tous les fronts. Il n'y avait qu'une bande de techniciens, de virtuoses. Or, la gestion n'est *pas* du dessin par numéros. Si c'en était, aujourd'hui la situation serait moins confuse.

Le triomphe des technocrates

Comment s'y sont pris les technocrates ? Comment sont-ils devenus si puissants ? Comment ont-ils réussi à faire le vide autour d'eux ? D'abord, ils sont brillants. Ils le sont vraiment. Leur esprit est comme un piège d'acier. Ils se présentent au conseil d'administration avec leurs plans en cinq phases, leurs stratégies, leurs projections, leurs slogans, leurs grands mots et leurs recettes – plutôt impressionnants. Le commun des mortels est intimidé. Ils détournent le langage de la vision, l'imitent et semblent brillants. On ne pense pas que les artistes sont « brillants » et on sait que les artisans ne le sont pas. Outre leur compétence technique et leur ingéniosité, leur virtuosité, ces grands parleurs et petits faiseurs ont autre chose : ils ont avec les autres des *rapports stratégiques*.

Par machiavélisme ou simple effet de leur tempérament, ils caressent des objectifs à très long terme dans leurs rapports humains[2]. Ils minent graduellement leurs collègues. Ils commencent par se moquer d'eux ou de leurs idées. « James ? s'exclament-ils avec un sourire narquois. Eh bien ! c'est James (rire, clin d'œil). Il aime ce genre de choses. Vous savez, l'émotion, les sentiments. Mais ne vous inquiétez pas, nous avons l'œil sur lui et prenons soin des affaires sérieuses. » Bien sûr, on ne peut pas vider un type que tout le monde aime. Donc, on le manœuvre pour qu'il parte de son propre gré. Après avoir insidieusement sapé sa crédibilité, d'abord en insinuant qu'il ne faut pas le prendre au sérieux, puis en laissant entendre que la gestion moderne exige un peu plus de sophistication (à propos, saviez-vous que le sens premier et

2. L'emploi de la « stratégie » dans les rapports humains est caractéristique de la personnalité paranoïde. Présumant qu'on complote contre lui, le paranoïde adopte ce qui lui paraît être une stratégie de légitime défense.

vieilli de « sophistiqué » est « frelaté[3] » ?), on l'écarte graduellement du pouvoir. Judd et Cameron ont subrepticement écarté James des conseils et comités importants. J'étais en face de lui pendant un déjeuner où on annonçait des nominations. Le nom de James ne figurait plus sur la liste. Il s'est penché vers moi et m'a soufflé à l'oreille : « Ils auraient pu me le dire avant le déjeuner, n'est-ce pas ? Simplement, par courtoisie. » Mais non. Il aurait pu faire une scène. Ils auraient été forcés de se justifier publiquement. James était littéralement responsable de leur carrière. Il a bâti l'empire, les a embauchés, a délégué son autorité et ils en ont profité pour le poignarder dans le dos. Ils l'ont poussé à la limite et, finalement, James a dû démissionner. James parti, le reste était facile.

L'isolement est une autre tactique des technocrates. Ils ne s'attaquent qu'à une personne à la fois. Ils ne congédient pas en bloc, ils canardent, font tomber les cibles une à une, sapent la crédibilité de leur victime en s'en moquant ; enfin, ils laissent entendre que le pauvre a besoin d'aide. Ils lui adjoignent de l'« aide », le catapultent à un poste supérieur où « ses talents seront davantage mis en valeur », mais surprise, « ça ne marche pas, il se prépare à partir ». On lui verse une bonne indemnité de licenciement, il s'en va, on passe au suivant. Après le congédiement de Mike, j'ai dit à Rowan : « Surveillez vos arrières. Vous êtes le suivant. » « Qu'est-ce que vous voulez dire ? » m'a-t-il demandé. Il ne le croyait pas. Il pensait faire un cauchemar et s'attendait qu'on lui dise au réveil que la direction était revenue à la raison. C'est une bonne vieille règle, n'est-ce pas ? Diviser pour régner.

---

3. *Sophiste :* chez les Grecs, maître de rhétorique et de philosophie qui allait de ville en ville pour enseigner l'art de parler en public, les moyens de l'emporter sur son adversaire dans une discussion, de défendre, par des raisonnements subtils ou captieux, n'importe quelle thèse ; *sophisme* : argument, raisonnement faux malgré une apparence de vérité ; *sophistiquer*: altérer frauduleusement (une substance), dénaturer (*Nouveau Petit Robert*, Paris, Le Robert, 1993, p. 2114).

Le conseil d'administration ? direz-vous. Où était-il ? Sûrement qu'il voyait ce qui se passait ? Certains membres du conseil l'ont vu, mais ils étaient en minorité, surtout que Judd et Cameron avaient doublé le conseil pour y placer leurs amis. Surtout, chaque incident semblait isolé, mineur, justifié. Les nouveaux venus ne pouvaient pas voir ce qui se passait parce qu'ils n'étaient pas en place depuis assez longtemps pour déceler une tendance. Ils ne connaissaient pas les cadres qu'on évacuait. Les anciens se taisaient. Celui qui m'a dit qu'on n'aurait jamais dû renvoyer Mike, par exemple, ne disait rien en public parce qu'il savait qu'il serait remercié le lendemain s'il ouvrait la bouche. Il s'accrochait encore au faible espoir de pouvoir user de son influence pour minimiser les dommages. C'est facile de le critiquer avec le recul, mais à l'époque ses motifs et sa perspicacité étaient au-dessus de tout reproche. Il n'avait pas de pouvoir. Personne n'en avait. Les dés étaient pipés. La partie était malhonnête.

Le pouvoir, ce vilain mot

Tout le drame résulte d'une erreur colossale de James. Il le sait et s'en repentira pour toujours. « C'est ma faute, j'ai nommé Cam », reconnaît-il aujourd'hui. La beauté des artistes et des artisans, c'est qu'ils admettent leurs erreurs. C'est la vie. C'est le lot des humains de faire des erreurs. Parfois petites, parfois grosses. Au grand regret de James – ce qui est arrivé lui fait mal au cœur –, l'erreur qu'il a commise était énorme. Son choix d'un successeur a conduit à l'anéantissement de ce qu'il avait bâti.

L'artiste a choisi son antithèse pour lui succéder. Il a été naïf à propos de Cameron. Rappelez-vous sa réponse à ma question : « Les bureaucrates peuvent-ils s'emparer de l'entreprise ? – Non. L'esprit d'entreprise est trop bien ancré. Tout le monde en est imprégné. » Pas tout le monde. James s'est trompé, mais il s'est trompé pour une bonne raison. Le technocrate est docile, voire servile, avec ses supérieurs et autoritaire avec ses subalternes. Le technocrate est un caméléon qui change de couleur au gré de l'environnement. Au début des années 80, les technocrates criaient sur les toits leur esprit d'entreprise; c'était la mode. Ils étaient entourés d'entrepreneurs. Au milieu des années 80, ils criaient sur les toits leur sophistication gestionnaire avec des expressions comme « synergie » et « guichet unique » dans les services financiers. C'était la mode; tous les « spécialistes » disaient que c'était la clé du succès. Vers la fin des années 80, la mode était à la « rigueur », au « bénéfice net », à « s'en tenir à ce qu'on sait faire » – c'est ce que font les technocrates. C'est à qui mettra le plus de monde à pied. Aujourd'hui, ils prêchent la « réingénierie », la « gestion de la qualité totale », la « responsabilisation » et les « alliances stratégiques ». Le dernier slogan leur plaît particulièrement : il préconise une liaison avec un partenaire puissant qui saura les protéger d'un monde qui les effraie.

James n'a jamais *parlé* d'alliances stratégiques. Il ne connaissait même pas l'expression parce qu'elle n'avait pas encore été inventée lorsqu'il en a forgé une avec *GFE,* il y a trente ans. Il a *fait* des affaires. Il n'en a pas *parlé.* Il n'a pas parlé non plus de faire confiance aux cadres, ni de décentralisation. Il l'a *fait* tout simplement. C'était une seconde nature pour lui. Les artisans – Rodney, Robert, Jeb et les autres – n'ont pas *parlé* d'« autonomie de décision », de « gestion de la qualité totale », d'« organisations apprenantes », de « parrainage » ni d'autres recettes simplistes. Ils l'ont *fait* tout simplement. Comme dit Osborne, l'artisanat, c'est *le culte de l'excellence.* On n'a pas à dire à l'artisan de veiller à la qualité de son produit ou de ses services. Pour lui, c'est aussi naturel que de respirer. C'est comme ça qu'il vit sa vie. Est-ce le hasard qui a fait proliférer les recettes de management à l'apogée du technocratisme ? En écartant l'artisan, on a dû inventer une recette, un système pour tenter de recréer tout ce qu'on avait perdu avec lui.

Quoi qu'il en soit, Cameron n'a pas répété l'erreur de James. S'il avait désigné son antithèse pour lui succéder, l'équilibre aurait pu être rétabli. Mais non. S'il en est que les technocrates apprécient, ce sont d'autres technocrates. Seuls les technocrates sont « compétents ». Cameron a nommé Judd. Ensemble, ils ont chassé les autres et nommé cinq « clones » compétents ou, dirons-nous, « quasi-clones » puisque deux d'entre eux sont plutôt « émotifs » et « inconstants » (du genre haut fourneau). L'organisation a chaviré – comme une barque qui prend l'eau quand ses occupants se penchent du même côté.

C'est arrivé parce que le pouvoir ne peut pas être distribué également. Je sais que ce n'est pas politiquement correct de le dire, mais certains ne méritent pas le pouvoir. Ils sont dangereux. Ils en abusent, et je ne parle pas seulement de psychopathes comme Hitler. Il y en a qui ne manquent pas de sens moral, mais ils sont aveugles. Ils n'y peuvent rien. On ne peut pas leur apprendre à voir parce qu'ils sont enfermés dans le cercle de leur propre logique. La compétence, par exemple, est « sérieuse » ; elle n'est pas « drôle » et elle n'est surtout pas « aimable ». On peut leur apprendre à dire des mots comme « responsabilisation », et même à y croire, mais non pas à les traduire en action. La greffe intellectuelle *ne prend pas* sur l'arbre affectif.

Faut-il conclure que les technocrates doivent être envoyés au mur et fusillés à l'aube ? Bien sûr que non. Nous sommes aussi à blâmer. Nous les laissons prendre le pouvoir. Pourquoi ? Parce que nous avons peur et que leurs formules sont très rassurantes. Ils semblent connaître la voie de l'avenir. Ils ont une réponse en trois parties à toute question.

Nous pouvons nous installer dans une dépendance confortable, en pensant qu'ils veillent sur nous et qu'ils assurent notre avenir. Hélas ! ce n'est pas vrai. Ils ne peuvent pas.

Et nous leur donnons le pouvoir pour les mêmes raisons que Charles Taylor a énumérées et qu'il exprime beaucoup mieux que je ne saurais jamais le faire. Les raisons intellectuelles et sociales. De même que les technocrates, nous nous méfions des émotions et de la passion. La passion religieuse a mené à l'Inquisition et d'autres passions plus récentes ont entraîné des horreurs sans nom. Nous nous méfions des rêveurs ; les rêveurs peuvent devenir fous.

Nous nous méfions aussi de la tradition. Elle a soutenu une monarchie corrompue dont nous avons dû nous débarrasser. Nous n'avons plus de respect pour l'artisanat, sauf dans le contexte du marché aux puces, parce qu'il nous semble trop lent. Nous voulons des réponses et des solutions sur-le-champ. Nous n'avons pas de temps à perdre. Avez-vous remarqué qu'on dit des choses comme : « c'est l'ère de la discontinuité », ou nous vivons une « rupture », ou une « crise », pour dire « vite, faites quelque chose ». Cela aussi est hostile à l'artisanat.

Toutes les époques croient être témoins de progrès et de bouleversements sans précédent et ce n'est que narcissisme d'imaginer que notre époque est exceptionnelle. Seule l'histoire peut en juger relativement. En France, au XIVe siècle, un homme est sorti de chez lui un beau matin pour constater que la moitié de la population de son village avait été emportée par la peste (qui a détruit la moitié de la population de l'Europe). Il voulait en appeler à Dieu, mais ne savait pas s'il devait s'adresser à Rome ou à Avignon, parce que deux papes légitimes se faisaient alors la guerre ! Pas une guerre verbale, une vraie guerre. En sortant de chez lui, il a été attaqué par une bande de mercenaires britanniques qui vivait en France de vols et de rapines ! C'était le Moyen Âge. Savait-il qu'il vivait au Moyen Âge[4] ? Évidemment pas. Il vivait simplement à Lyon. Savait-il que la Renaissance n'était pas loin ? Non plus. Personne ne le savait. Pensait-il vivre à une époque turbulente ? Comment donc !

Cela m'amène à une autre réflexion sur la confusion et la dépression dans lesquelles nous sommes plongés. C'est une condition qui engendre la dépendance, la foi dans les solutions magiques et crée un milieu propice aux technocrates. Les noms d'Isaïe, de Jésus et de Mahomet signifient-ils quelque chose pour vous ? Comment se fait-il qu'il a toujours fallu des *siècles* pour qu'apparaisse un nouveau prophète et que cette *décennie* ait engendré une foison de « futuristes » ? Nostradamus serait fier de notre époque ! Ce doit être la première génération dans l'histoire de l'humanité à tout ignorer du passé et à tout savoir de l'avenir. Se peut-il que notre génération soit différente des précédentes, qui ont toujours eu à se débrouiller sans connaître le futur ? N'est-ce pas simplement de la magie ? Sommes-nous si inquiets, si désespérés qu'il nous faille donner une tribune à quiconque prétend savoir où nous allons ?

Cette « science » futuriste n'est-elle pas la même que celle dont se réclame le technocrate ? Des projections fondées sur des calculs arithmétiques et l'analyse de « tendances lourdes ». D'une tendance, disons les réserves mondiales de combustibles fossiles, on extrapole. Exemple : vous vous souvenez du rapport alarmiste du Club de Rome prédisant l'épuisement des réserves de combustibles fossiles ? Bientôt, prédisait-on, il n'en restera plus une goutte. Les auteurs du rapport avaient relevé une « tendance lourde » – illustrée par le graphique suivant – et l'avaient projetée dans l'avenir. Le monde entier a été pris de panique. Les gouvernements se sont bousculés

4. Barbara Tuchman, *The Distant Mirror*, New York, Alfred Knopf, 1978.

pour tracer des « plans » en vue de parer à la tragédie. Au Canada, on a lancé le Programme national de l'énergie (PNE), qui a chamboulé la politique du pétrole, pénalisé l'industrie et les provinces de l'Ouest, et créé un conflit durable entre les régions. L'OPEP a haussé le cours mondial du pétrole. L'inflation a stimulé la conservation, l'exploration et la substitution de nouvelles sources d'énergie. Avez-vous récemment fait la queue chez un pompiste ? La réalité contredit souvent les extrapolations. Il suffit parfois de publier une tendance pour la renverser (comme les sondages en campagne électorale) ; sa publication peut donc avoir une fonction sociale utile. Rien n'est plus risqué que de se fonder sur une tendance pour prédire l'avenir. Benjamin Franklin disait : « Dans ce monde, rien ne peut être donné pour certain, sinon la mort et les impôts. »

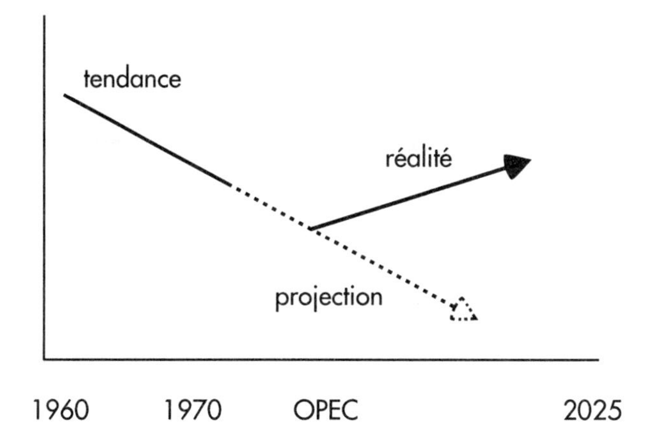

Figure 1. Réserves mondiales de pétrole

Quand j'ai le cafard et que je me mets à douter de mon aptitude à mener ma vie de façon satisfaisante, savez-vous ce que je fais ? Je consulte mon horoscope ! Ne sachant plus me gouverner, je m'en remets à quelque guide magique des planètes. Plus je suis déprimée, plus vite je consulte mon horoscope. Plutôt que de lire la chronique de bridge, je vais droit à l'horoscope. Quand les choses vont vraiment mal et que je suis à bout de nerfs, je n'attends même pas que mon mari aille chercher le journal. J'y vais moi-même. Mais en mon for intérieur, je me trouve ridicule. Je *sais* que c'est une blague. Je sais que je me remettrai de ma dépression.

Quand nous sommes déprimés, nous devenons dépendants. Nous cherchons des solutions magiques – la drogue ou l'alcool, par exemple – et, dans un contexte social et collectif, des futuristes (les pronostiqueurs) et/ou des leaders visionnaires (qui façonnent l'avenir). Nous pensons que les technocrates nous ont bernés – ce qui est juste – et nous réclamons leurs contraires, les artistes. Nous passons d'une forme de dépendance à une autre. Voilà, je pense, l'explication de l'extraordinaire recrudescence d'intérêt pour le leadership et son travestissement.

Hélas ! nous jetons souvent le bébé avec l'eau du bain. J'en aurai plus à dire là-dessus plus loin. Pour l'instant, je veux explorer les conséquences de ce drame, la morale de l'histoire, pour les organisations.

TROISIÈME PARTIE

La morale de l'histoire

Chapitre VII

Le leadership : retour aux sources

Pour le scientifique, l'historien, le philosophe ou toute autre forme de chercheur compétent, la réfutation d'une fausse théorie est un pas positif dans sa recherche. Elle le laisse en face non pas de la même vieille question, mais d'une question nouvelle, qui se pose en termes plus précis et qui est donc plus facile à résoudre. Cette nouvelle question se fonde sur ce qu'il a appris de la théorie réfutée. S'il n'a rien appris, c'est la preuve qu'il a été trop bête (ou trop paresseux) pour apprendre, ou que par une malencontreuse erreur de jugement, il a passé son temps à examiner une théorie si idiote qu'il n'y avait rien à en tirer. Si la théorie réfutée, bien que fausse dans l'ensemble, n'est pas complètement idiote et si la personne qui l'a réfutée est raisonnablement intelligente et raisonnablement consciencieuse, la conclusion de sa critique peut toujours s'exprimer à peu près ainsi : « La théorie ne tient pas quant à ses conclusions générales, mais elle démontre certains points dont il faudra désormais tenir compte. »

R. G. Collingwood,
The Principles of Art[1]

La citation est longue mais nécessaire, je pense. Ce que je ne compte pas faire ici, c'est expliquer pourquoi d'autres analystes se sont révélés aussi débiles. Je ne perdrai pas non

---

1. Traduction libre.

plus mon temps et le vôtre à des théories « idiotes ». Au contraire, je citerai une couple de théories qui sont très sensées et je vais voir ce que je peux y ajouter pour qu'elles le soient encore plus. Je citerai deux des meilleures et des plus fameuses théories du leadership et analyserai la seconde presque ligne par ligne.

Le leadership, selon Abraham Zaleznik et Warren Bennis

Il y a près de vingt ans, Abraham Zaleznik (Harvard) a établi une distinction[2] entre « leaders » et « gestionnaires ». Pour nous secouer, il a dépeint un contraste frappant. Le leader, a-t-il dit, est un visionnaire; le gestionnaire, un planificateur. Le leader se soucie de la substance; le gestionnaire, de la forme et du processus. Le leader inspire; le gestionnaire motive. L'ouvrage de Zaleznik, pourtant célèbre, a été pour ainsi dire ignoré. Il prêchait bravement dans le désert contre une immense vague qu'il a plus tard appelée *The Managerial Mystique*[3], « la mystique gestionnaire ». Avec ses prétentions scientifiques, ses « hommes creux » apparemment froids, son obsession du processus au lieu du contenu, et sa hantise des bénéfices à court terme, la mystique gestionnaire est responsable, a-t-il dit, du déclin de la compétitivité américaine. L'Amérique a cessé d'inventer, de rêver; elle est occupée à s'entourer de papiers. Il lui faut désespérément ramener les leaders et se débarrasser des gestionnaires. Zaleznik a écrit :

> *La mystique gestionnaire est à peine liée à la réalité. En passant à la pratique, elle exige des gestionnaires qui se consacrent au processus, aux structures, aux rôles et aux formes indirectes de communication et qui ne prêtent pas attention aux idées, aux gens, aux émotions et au langage*

2. « Managers and Leaders : Are They Different ? » *Harvard Business Review*, mai-juin 1977.
3. *The Managerial Mystique*, New York, Harper and Row, 1989.

direct. Elle détourne l'attention des réalités de l'entreprise pour rassurer et récompenser ceux qui croient à la mystique... L'entreprise, en Amérique, a perdu l'avantage sur ses rivales en se concentrant sur les bénéfices et le cours des actions plutôt qu'encourager l'innovation et les objectifs à long terme[4].

Ça ressemble étrangement au technocrate, n'est-ce pas ?

Abraham Zaleznik, comme bien d'autres sages, était en avance sur son temps. Mais le temps le rattrape. Warren Bennis, sûrement le plus grand spécialiste du leadership en Amérique, avoue se reposer, pour une grande part, sur la distinction faite par Zaleznik entre leaders et gestionnaires. Dans son ouvrage, *On Becoming a Leader* (1989), il dresse la liste comparative suivante :

LE GESTIONNAIRE	**LE LEADER**
administre	innove
est une copie	est un original
maintient	développe
concentre son attention sur les systèmes et la structure	concentre son attention sur le personnel
exerce un contrôle serré	inspire confiance
prévoit à court terme	prévoit à long terme
demande comment et quand	demande quoi et pourquoi
a toujours l'œil sur le bénéfice net	a l'œil tourné vers l'horizon
limite	crée
accepte le *statu quo*	conteste le *statu quo*
est un bon petit soldat	est son propre maître
fait les choses comme il faut	fait ce qu'il faut faire

4. Traduction libre.

Je maintiens que cette liste, si attrayante soit-elle, est trompeuse. Je m'explique.

1) Le gestionnaire administre; le leader innove

« Innover : du latin *innovare*, renouveler, modifier. » L'artiste innove certes sur une grande échelle. Mais l'artisan innove, renouvelle constamment – sur une échelle réduite, plus humaine. Il change d'outils pour s'adapter aux conditions nouvelles. Le technocrate innove aussi ; il modifie et prétend renouveler. Les entreprises sont chambardées sous sa direction. Avec notre culte du changement, des transformations radicales, nous avons tendance à attribuer toutes sortes de vertus au mot « innover », mais le changement n'est pas toujours bon ni toujours positif, loin de là. Le technocrate triomphe, en partie, parce qu'il justifie ses décisions au nom du changement et de l'innovation et nous fléchissons le genou devant ces idoles.

2) Le gestionnaire est une copie; le leader, un original

Le message ? C'est bien d'être original (lire « artiste ») et mal d'être une copie (lire : « technocrate »). Il est vrai, comme nous l'avons vu plus haut, que le technocrate aime copier et que cela répugne à l'artiste. Mais qu'en est-il de l'artisan ? Il fait un peu l'un et l'autre. Il travaille suivant la tradition (copie) et innove, expérimente accessoirement (original). Avec notre aversion de la copie, nous jetons l'artisan avec l'eau du bain.

3) Le gestionnaire maintient; le leader développe

Je ne pense pas. L'artisan maintient et développe. L'artiste développe et laisse l'artisan maintenir. Le technocrate *sabote* le maintien et *prétend* développer. En condamnant le maintien en principe et en exaltant le développement, nous jetons bon gré mal gré de l'huile sur le feu du technocrate, dans lequel brûlent l'artiste et l'artisan.

4) Le gestionnaire concentre son attention sur les systèmes et la structure; le leader sur le personnel

Le technocrate concentre certainement son attention sur les systèmes et la structure. Rien à dire là-dessus. Mais l'artiste ? Se concentre-t-il sur le personnel ? Pas vraiment. Au fond, il est très secret, solitaire même, ou il peut être grégaire et solitaire selon son humeur. Il aime les gens, mais son attention se concentre *à l'extérieur* de l'organisation ; elle est absorbée par des rêves et des transactions. C'est l'artisan qui concentre son attention sur le personnel, ses gens. Il évalue la tâche et y assigne le personnel qui y convient. Si personne n'est en mesure de faire le travail, il forme un subalterne et lui fait confiance. Il investit dans son personnel. Il préfère investir dans le personnel qui est en place et qui comprend déjà le métier parce qu'il estime que la compréhension du métier est aussi importante que le savoir-faire. En fait, il croit que connaissance et compréhension sont indissociables. Rappelez-vous, nous avons appris plus tôt de Polanyi que l'artisanat provient généralement de la distinction entre connaissance et compréhension. Le métier du chant, par exemple, est « la science de l'acoustique *jointe* à une compréhension pratique du corps ». Essayez d'imaginer que vous enseignez à chanter à quelqu'un qui n'a aucune idée de ce qu'est le chant, en n'utilisant que des paroles, sans chanter : « Eh bien ! euh ! vous ouvrez la bouche et vous faites passer de l'air dans vos poumons... »

5) Le gestionnaire exerce un contrôle serré; le leader inspire confiance

Oui et non. Le technocrate exerce sûrement un contrôle. Il le faut. Il a peur. Et l'artiste inspire certainement de l'enthousiasme, mais inspire-t-il vraiment confiance ? Il en a besoin, désespérément, pour avoir le temps d'achever son projet. Mais inspire-t-il confiance à l'ensemble de l'organisation ? Parfois. Le plus souvent, il inspire confiance aux artisans de son entourage immédiat ; il n'a pas l'habitude de traiter avec le personnel qui déborde de son entourage immédiat. Il est trop occupé à rêver et à créer. C'est l'artisan qui inspire confiance au reste de l'organisation ; c'est l'artisan qui engendre la loyauté (*il a vraiment pris des risques pour me défendre et ne leur a même pas dit que c'était ma faute !*), la confiance (*demain ne sera pas très différent d'aujourd'hui ; je ne serai pas congédié par caprice ou arbitrairement parce que les enfants prodiges sont en train de faire de la « réingénierie »*), le dévouement (*il croit vraiment à ce que nous faisons ; je suis fier d'être banquier et de travailler avec lui*), la confiance en soi (*il m'a laissé me faire la main sur ce projet ; il m'a fait confiance ; je suppose que je suis compétent*), et la modestie (*je pensais que j'avais une idée brillante, mais il m'a montré pourquoi elle ne marcherait pas ; bon, je me remets au travail*).

6) Le gestionnaire prévoit à court terme; le leader, à long terme

Encore une fois, oui et non. Le technocrate a sûrement une vision à court terme et se préoccupe des résultats du jour. Mais, le futurisme aidant, lui qui naguère n'avait que des illusions de pouvoir, emploie maintenant le vocabulaire de la vision et le langage du rêve. Il a aussi des plans à long terme, qui découlent de l'extrapolation de ses succès à court terme. Si vous voyez ses plans, vous penserez peut-être qu'il a une vision à long terme, mais il n'en a pas. Le scénario est le suivant : « Aujourd'hui, nous avons éliminé 30 % de nos carences (lire : « personnel ») et réalisé 10 % sur le capital investi ; l'an prochain, nous aurons éliminé 50 % de nos carences et prévoyons un taux de rendement de 12 % ; en 1995, il atteindra 15 %. » Sauf qu'en 1995, « nous serons morts », comme l'a prédit un artisan. Et il a vu juste.

Il n'y a pas de doute : l'artiste a une perspective à long terme, un terme si long qu'il perd parfois de vue le présent ou comment passer du présent à l'avenir. C'est là qu'intervient la vision à moyen terme de l'artisan et elle est indispensable. Vous vous souvenez ? L'artisan est celui qui bâtit les ponts. James, Mike et Cobb n'auraient jamais prétendu avoir pu bâtir ce qu'ils ont bâti sans le concours des artisans, avec qui ils ont travaillé et sur qui ils se sont reposés.

7) Le gestionnaire demande comment et quand; le leader, quoi et pourquoi

L'artisan et le technocrate demandent comment et quand. L'artisan et l'artiste demandent quoi et pourquoi. L'artisan demande pourquoi, quand le technocrate propose une nouvelle idée théorique pour réparer une chose qui n'est pas cassée.

8) Le gestionnaire a l'œil sur le bénéfice net; le leader, sur l'horizon

Le technocrate, l'artisan et l'artiste font tous attention au bénéfice net. Le technocrate le fait pour sa gloire, pour s'en vanter, pour montrer au monde qu'il est un grand administrateur. L'artiste s'y réfère pour mesurer la justesse de sa vision à long terme, vérifier qu'il a fait ce qu'il fallait. L'artisan le surveille de près pour protéger l'avenir. Il sait que si le bénéfice net est insuffisant, l'institution et son personnel éprouveront des difficultés. Eh oui ! c'est vrai que l'artiste a l'œil tourné vers l'horizon, mais c'est l'artisan qui voit mieux les accidents de terrain qu'il faut surmonter pour arriver à l'objectif.

9) Le gestionnaire imite; le leader crée

C'est essentiellement la différence expliquée au point 2 entre la copie et l'original.

10) Le gestionnaire accepte le statu quo*; le leader le conteste*

Pas tout à fait. L'artiste conteste certainement le *statu quo* par rapport à sa vision. Mais le technocrate conteste le *statu quo* par rapport à l'organisation du travail – constamment. Il introduit sans cesse de nouveaux venus et modifie l'organigramme. Un artisan nous a dit : « Ils semblent fascinés par les bricoles. Vous savez, les systèmes et les structures. » L'artisan *respecte* le *statu quo*; il ne croit pas que tout ce qui s'est fait auparavant est nécessairement mauvais et que tout ce qui se fera dans l'avenir sera forcément bon. Sa devise : *le changement si nécessaire, mais pas nécessairement le changement.* Plus nous ajoutons foi à cette notion que le changement est toujours vertueux, plus nous minons l'artisan.

11) Le gestionnaire est un bon petit soldat; le leader, son propre maître

L'artiste est certainement son propre maître, mais s'il est un bon soldat, c'est plutôt l'artisan : loyal, dévoué, respectueux de la hiérarchie et de la voie hiérarchique. Le technocrate n'est loyal envers personne d'autre que lui. Il ne l'est pas envers son supérieur, ni l'organisation, ni même l'industrie. Il quittera volontiers le navire s'il y va de son intérêt et il plantera le couteau dans le dos de sa mère si elle lui nuit. L'artisan est aussi son propre maître : homme de principes et d'honneur, il ne se laisse pas facilement influencer ni séduire.

12) Le gestionnaire fait les choses comme il faut; le leader fait ce qu'il faut

L'artisan fait l'un et l'autre.

J'espère que cela expose clairement la nature du problème. Si la réalité se bornait à deux choix – le gestionnaire et le leader, ou le technocrate et l'artiste –, aurait-on du mal à choisir ? Pas moi. Je prendrais le leader n'importe quel jour de la semaine. Mais ce faisant, je devrais m'attendre à certains sacrifices, comme de faire les choses comme il faut [12], tenir compte des systèmes et des structures [4], exercer un contrôle [5], prévoir à moyen terme [6], veiller au bénéfice net [8], et le reste – sacrifices que je ne suis pas disposée à faire. En outre, je devrais faire le sacrifice du parrainage, de la stabilité et de la continuité essentielles au commun des mortels, de la « colle » organisationnelle qui résulte de la loyauté et du dévouement, et en général d'un leadership marqué par le réalisme et la conviction, sinon par la vision. En partageant le monde entre deux pôles, le gestionnaire et le leader, nous perdons l'homme du centre. Il devient invisible. Nous avons la nostalgie des artistes, mais ce sont des oiseaux rares. Au lieu d'artistes, nous avons des loups déguisés en brebis : les technocrates, qui imitent les artistes et les artisans avec leurs beaux discours. Nous leur facilitons leur pseudo-travail en adorant les veaux d'or de la spécialisation et du changement.

Pourquoi ai-je dû consacrer autant de temps aux idées d'un autre sur le leadership ? Eh bien ! à cause de la citation de Collingwood qui ouvre ce chapitre. Il faut faire attention aux *bonnes* théories, et non pas aux théories stupides. Des bonnes théories, si on n'est pas paresseux, on peut apprendre quelque chose. Deuxièmement, tout le monde s'inspire des *meilleures* théories. Un Français, Hervé Sérieyx, dit plus ou moins la même chose du leadership. De même que tous les consultants en leadership – petits ou grands – qui colportent leur marchandise : « Vous pouvez être un leader visionnaire, vous aussi. Il ne vous faudra que cinq minutes pour remplir ce formulaire d'inscription à mes cours. » On ne parle que de cette affaire de leadership et j'ai peur qu'elle devienne la panacée qui est aussi mauvaise que la maladie, sinon pire.

Évidemment, je comprends et je partage dans une certaine mesure la frustration générale à propos des technocrates, ou des « gestionnaires », si vous préférez. (Je n'aime plus cette distinction entre leaders et gestionnaires ; je préfère dire simplement qu'il y a de bons et de mauvais administrateurs.) Comme tout le monde, j'en ai marre de leurs prétentions et de leurs sermons. Je meurs d'envie d'inspirations nouvelles. Nous voulons nous débarrasser des technocrates et de leur logique inhumaine et réintroduire la passion, la créativité, l'imagination et l'expérimentation dans l'organisation. Il nous a donc fallu les dénoncer et montrer combien ils ont tort d'imaginer que la vie peut être si aisément contrôlée et planifiée et qu'on peut transformer les gens en robots. Pour saper leur autorité, nous versons dans l'autre extrême : nous voulons la passion *plutôt que* la logique, des miracles et des oracles *au lieu* des plans et du réalisme. Ce ne sont pas des bébés que je veux jeter avec l'eau du bain.

Et puis, même si j'aime bien les artistes – James, Mike et Cobb sont des êtres charmants –, j'estime que nous n'avons pas besoin d'artistes partout et en tout temps et qu'ils ne sont pas assez nombreux pour les mettre à toutes les sauces. Dans mon organisation, il y en a eu quatre au sommet pendant soixante ans ! Les artistes ont toujours été une minorité distincte, d'ordinaire marginalisée, le plus souvent dénigrée. Les vrais visionnaires sont d'ordinaire fauchés ; c'est leur lot. Personne ne les croit. Nostradamus ne passait pas pour un visionnaire jusqu'à ce qu'on trouve certaines de ses prédictions dans son *tombeau* ! Jésus-Christ a été crucifié. Galilée a été traduit en justice. Socrate aussi... George Bernard Shaw : « Les grandes vérités sont d'abord des blasphèmes. » Si votre futuriste favori est riche, souriez...

Enfin, que ferons-nous du reste des gens, en très grande majorité des artisans ? Deux anecdotes illustrent ce que je veux dire. Un jeune homme âgé de vingt-huit ans, étudiant de maîtrise en gestion, est entré dans mon bureau l'autre jour. Voici l'essentiel de notre conversation :

ÉTUDIANT : *Puis-je entrer, M*me *Pitcher ?*

MOI : *Bien sûr, que puis-je faire pour vous ?*

ÉTUDIANT : *Je parlais avec les professeurs X et Y et ils m'ont suggéré de vous voir parce que vous donnez des cours de leadership. Ce que je veux savoir, c'est : qu'est-ce que cette affaire de leadership ?*

MOI : *Pourquoi ?*

ÉTUDIANT : *Eh bien ! je suis depuis huit ans au service (d'une grande entreprise de télécommunications)... J'y ai travaillé à plein temps et je travaille maintenant à temps partiel (tandis que je poursuis mes études de maîtrise). Chaque fois qu'on m'évalue, je suis mal noté à la catégorie leadership. Je leur ai demandé ce qu'ils entendent par leadership et personne n'a pu me le dire. Je pensais que vous pourriez peut-être me renseigner.*

Eh bien! voici ce qu'on veut dire : êtes-vous inspirateur, imaginatif, visionnaire, créateur, intuitif, ainsi de suite ? Je lui ai donné un exemplaire du livre de Bennis. Ce que je ne lui ai pas dit, parce que je n'en ai pas eu le cœur, c'est que les poules auront des dents avant qu'il ne devienne « leader » selon cette définition. Il ne peut et ne pourra jamais y arriver. Il est intelligent et compétent, il veut apprendre et contribuer, il est calme et serein, sincère et honnête. On n'apprécie pas ce qu'il a.

Seconde anecdote. Une jeune femme, âgée de 23 ans, diplômée de 2e cycle en gestion; intelligente, séduisante et trilingue – français, anglais et espagnol; forte en chiffres et agréable avec les gens. Elle n'arrive pas à trouver un emploi. Savez-vous pourquoi? Parce que chaque fois qu'elle se présente à une entrevue, un pauvre type lui demande si elle est un « leader ». Comme elle est honnête, elle répond : « Parfois. Euh ! ça dépend. Ça dépend des circonstances. » Ce n'est pas ce que l'examinateur veut entendre. Ce qu'il veut, c'est : « Comment donc ! J'ai été capitaine de telle et telle équipe. J'avais les plus hautes notes à l'école. Mes amies sollicitent mes conseils. Je suis très intuitive. J'ai jeté un coup d'œil sur votre entreprise et ce qu'il vous faut, c'est... » De la confiance en soi ? Des idées ? De l'imagination ? Oui. De la modestie ? Non. De l'expérience ? Non. Du narcissisme ? Que oui. Devinez qui donne ce genre de réponse en entrevue ? Le technocrate en herbe. Donc, ces employeurs en quête de jeunes artistes excitants recrutent surtout d'impressionnants, « brillants » petits technocrates.

De telles entrevues ont lieu partout dans le monde à tous les échelons de nos entreprises. Surtout au sommet. Observons une série d'entrevues fictives pour le poste de chef de la direction d'une organisation typique :

EXAMINATEUR : *Que feriez-vous si on vous confiait le poste ?*

ARTISTE : *Je ne sais pas vraiment. Il faudrait voir. J'ai quelques idées, mais elles sont vagues pour l'instant. Je suppose que vous devrez me faire confiance.*

(Rappelez-vous Cobb : C'est clair, mais fluide. L'action précise l'idée. C'est très vague, mais ça se clarifie en cours de route. La création, c'est la tempête.)

ARTISAN : *Eh bien ! il faut bâtir sur nos points forts. Je travaille ici depuis vingt-cinq ans et pour moi, c'est clair que chaque fois que nous nous sommes écartés des secteurs que nous connaissons le mieux, nous avons eu des ennuis. Je pense que la division des machins trucs a perdu du terrain parce que son directeur ne sait pas ce qu'est un machin truc. Il y a eu tellement de changements que le personnel de vente est démoralisé. Il n'est pas vraiment nécessaire de faire de grands changements. Il suffira d'une série de changements relativement mineurs, de quelques essais et ça ira.*

TECHNOCRATE : *Je ne sais rien de votre entreprise en particulier, mais toutes les entreprises doivent décentraliser, réduire leurs frais, donner de l'autorité aux gens de la base, insister sur la qualité, forger des alliances stratégiques, devenir plus lestes, plus souples, plus flexibles, pouvoir se retourner vite parce que la révolution des communications est en voie de nous dépasser, changeant et mondialisant tout du jour au lendemain. La clé, c'est l'information. Les employés seront liés à des réseaux et travailleront à partir de la maison ou de la voiture. L'entreprise telle que nous la connaissons est en voie de disparition.*

Qui obtiendra le poste, pensez-vous ? Qui choisiriez-vous ? L'artiste est beaucoup trop vague. Il donne le ton ; il ne le suit pas. Il crée, il agit et ne parle pas. Souvenez-vous d'Isadora Duncan : « Si je savais le dire, je n'aurais pas à le danser. » Et de Robert Motherwell : « Ma vie durant, j'ai travaillé sur la même œuvre, chaque toile en constituant une phrase ou un paragraphe. » La réponse du technocrate est truffée de phrases à la mode que l'artiste sera le dernier à employer. Il déteste la mode.

L'artisan est beaucoup trop assommant et ça presse.

Le technocrate énumère tous les nouveaux outils de gestion, mais ce qu'il dit est vide de sens. C'est comme si l'entrepreneur chargé de bâtir votre maison vous disait : « Je vais utiliser un tournevis et une scie, un marteau et des clous pour bâtir votre maison. » Vous répondriez sans doute : « Oui, mais de quoi aura-t-elle l'air ? » Le technocrate possède le jargon. Il multiplie les mots sans comprendre[5]. Il semble intuitif; il lit les magazines futuristes qui font des projections. Il semble être l'homme de la situation. Il emprunte le langage de la vision, mais il ne décentralisera évidemment pas et ne déléguera d'autorité à personne. Il n'a que faire de la qualité; il ne connaît même pas votre produit. Les technocrates sont ceux qui lisent les ouvrages sur la gestion et qui fréquentent les conférences parce qu'ils veulent se familiariser avec le vocabulaire et aiment les idées en vogue. Naguère, ils étaient les champions des recettes de gestion matricielle, de gestion par objectif, de la « synergie », et maintenant, avec le savant concours des voyants institutionnels et la pseudo-science du futurisme, ils se font passer pour des leaders visionnaires. On leur confie les postes de direction. Et cela, mesdames et messieurs, me met en colère. C'est ce qui me fait dire que la panacée du *leadership* devient pire que la maladie *technocratique.*

Ni Abraham Zaleznik ni Warren Bennis ne souhaitaient cela. Ils voulaient tous deux de vrais artistes, de vrais leaders,

5. *La Bible*, Le Livre de Job.

pas des imitateurs. Mais on ne peut pas contrôler ce qui sera fait de son ouvrage ni le climat dans lequel il sera reçu. Zaleznik et Bennis ne sont pas responsables de l'emprise du futurisme sur nous. Et si Bennis semble ambivalent (il a intitulé son ouvrage *On* Becoming *a Leader*), je suis sûre que Zaleznik ne croit nullement qu'on puisse *apprendre* à être visionnaire, quelle que soit la pensée latérale. Parce que nous avons partagé le monde en deux camps, les méchants (gestionnaires) et les bons (leaders), et parce que nous avons accrédité l'idée que n'importe qui peut devenir bon avec assez de formation ou de volonté, nous avons involontairement fourni des munitions au technocrate pour chasser l'artisan et le véritable artiste.

Les artisans représentent la vaste majorité des travailleurs, jeunes et vieux. Donc, je le redemande, que ferons-nous d'eux si nous n'attachons plus de valeur qu'à l'artiste, ou à ce que Sérieyx appelle « l'acteur/auteur », à tous les niveaux de l'organisation ?

> *On demande : instable, émotif, imprévisible, imaginatif, autodémarreur. Les autres sont priés de s'abstenir.*

Oh ! vous dites que vous ne voulez pas d'un émotif, d'un instable et d'un imprévisible, seulement d'un imaginatif ? Je regrette, l'un ne vient pas sans les autres. Le caractère est un tout. Je peux vous offrir l'ensemble « dévoué, loyal, honnête, réaliste et compétent », mais l'imagination risque d'être plutôt limitée ; avez-vous vraiment besoin de beaucoup d'imagination ou vous en suffirait-il d'un peu ?

Collingwood nous a appris au début de ce chapitre qu'à l'examen de bonnes théories le résultat « peut toujours s'exprimer à peu près ainsi : *La théorie ne tient pas quant à ses conclusions générales, mais elle démontre certains points dont il faudra désormais tenir compte.* Selon moi, les théories analysées ici « ne tiennent pas quant à leurs conclusions générales ». Passons maintenant à « certains points dont il faudra désormais tenir compte » en pensant à ce dont les entreprises ont vraiment besoin.

Ce que nous avons appris de Zaleznik et de Bennis, « dont il faudra désormais tenir compte », c'est ce que nous ne voulons *pas*, ce que le leadership *n'est pas*. Nous ne voulons pas de rigidité. Nous ne voulons pas qu'on se préoccupe exclusivement d'aujourd'hui au détriment de demain. Nous ne voulons pas que les gens soient traités comme des robots. Nous ne voulons pas être étouffés par les systèmes et les règlements.

Nous voulons des organisations dynamiques, intéressantes. Nous voulons des organisations assez souples pour s'adapter à un futur inconnu et que je prétends inconnaissable. Mais ces organisations doivent aussi être assez stables pour offrir aux gens ordinaires comme nous un sens de la continuité, sans lequel nous nous sentons perdus. Nous voulons expérimenter, mais nous voulons aussi ce qui a déjà été éprouvé. Nous voulons une perspective à long terme, mais pas au détriment du contact avec le présent et le futur immédiat. Nous avons besoin à la fois de respecter et de contester le *statu quo*, d'avoir du recul et d'aller de l'avant. Nous avons besoin de faire les choses comme il faut et de faire les choses qu'il faut. Nous voulons et avons besoin de vrais visionnaires, qui sortent des sentiers battus, mais ils ne peuvent effacer tous nos combats. Ils ne sont pas nos sauveurs. Nous avons besoin de prendre notre sort en main, d'en accepter la responsabilité. Nous avons grand besoin de pouvoir démasquer les charlatans, les escrocs et les faux prophètes... et enfin nous avons besoin de cesser d'adorer le veau d'or de la spécialisation, qui prétend combiner la compétence et la vertu[6].

---

6. Alain-Gérard Slama, *L'Angélisme exterminateur*, Paris, Bernard Grasset, 1993.

Nous devons reconnaître [re-connaître : reprendre possession de (XVe siècle), connaître à nouveau (XVIe siècle)] chaque personnalité en tant que telle. Nous devons être capables de voir l'artiste, l'artisan et le technocrate, non comme des catégories rigides, des concepts abstraits, ou des étiquettes, mais comme les tendances qui caractérisent la personnalité des êtres humains. Bien qu'il existe quelques exemples de types purs – nous avons déjà rencontré Cam qui est essentiellement un technocrate du type le plus pur qu'on puisse trouver, et nous en rencontrerons quelques autres dans les pages qui suivent – la plupart des gens appartiennent à un certain type et possèdent, à un moindre degré, certains traits d'un autre type de caractère. Un peu comme dans un horoscope où on est « Vierge, ascendant cancer ».

Voici la liste des principaux traits de nos archétypes.

Artiste	**Artisan**	**Technocrate**
imprévisible	équilibré	cérébral
drôle	obligeant	difficile
imaginatif	honnête	intransigeant
audacieux	sensé	rigide
intuitif	responsable	intense
passionnant	digne de confiance	pointilleux
émotif	réaliste	déterminé
visionnaire	stable	méticuleux
entrepreneurial	raisonnable	obstiné
stimulant	prévisible	austère

Au cours de mon étude, j'ai trouvé neuf configurations de base de ces listes (plus quelques adjectifs pour nuancer). Suivons le schéma.

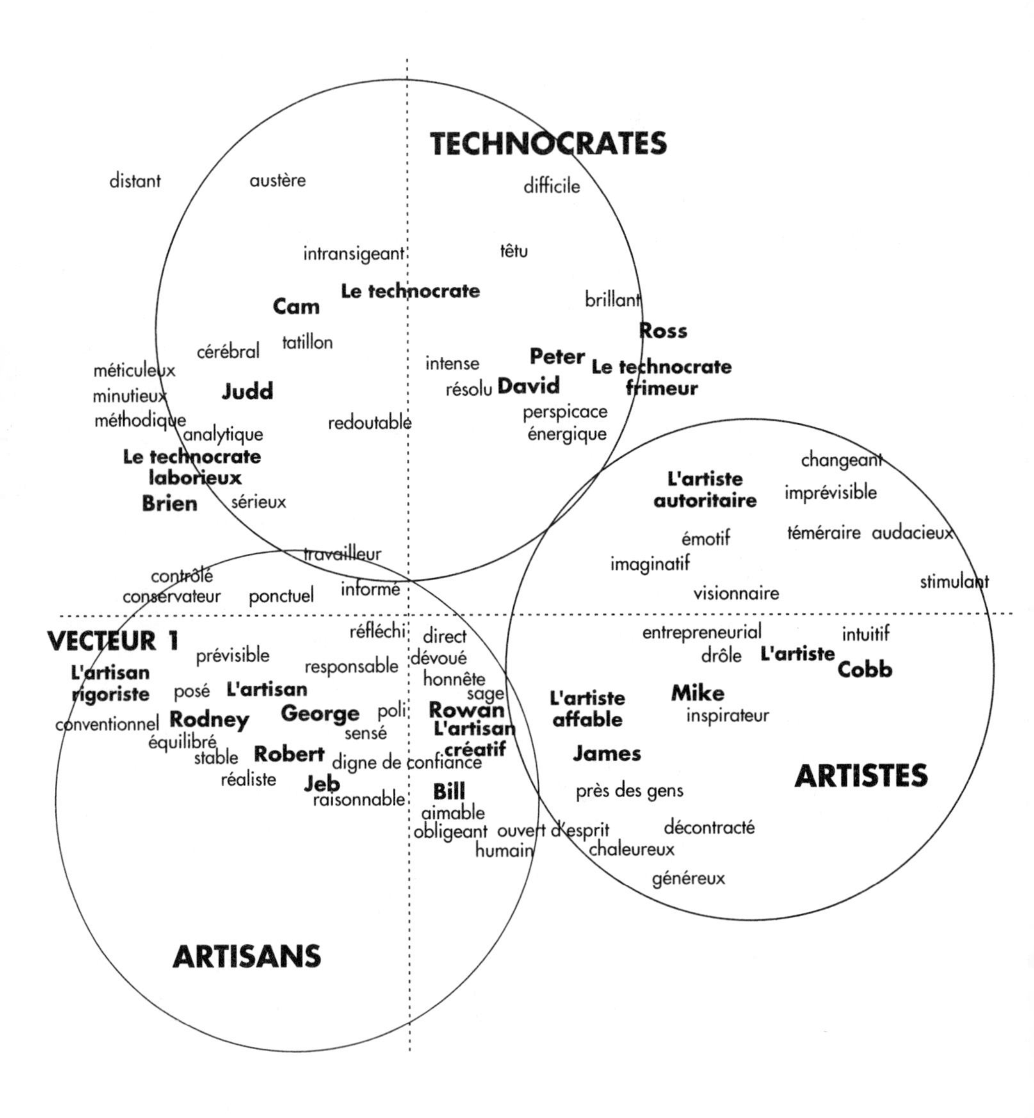

Figure 1. Neuf configurations de base

Les technocrates

Technocrates purs

Cam en est le meilleur exemple. Les adjectifs qu'on lui applique tout naturellement sont : cérébral, intransigeant, rigide, déterminé et minutieux. Cam est un homme froid; comme je l'ai noté précédemment, il obtient la note zéro pour ce qui est d'être « ouvert », « aimable », « chaleureux » et « généreux ». Il affiche une supériorité tranquille. Il n'a aucun humour. Même si sa vie en dépendait, il serait incapable de rire de lui-même. Il ne souffre aucune opposition. De fait, il agit comme s'il ne pouvait absolument pas exister de jugement autre que le sien. C'est pourquoi je parle de supériorité « tranquille ». Tous les technocrates se sentent supérieurs.

Technocrates laborieux

Prenez le technocrate laborieux. Quelqu'un comme Brien ou Judd par exemple. Cette nuance aussi m'a été apprise par un auditeur dans la salle. En l'occurrence par une femme qui s'est approchée pour me demander, « Peut-on être technocrate sans être brillant ? Mon patron correspond à tous les traits que vous avez décrits, sauf à celui-là. » Eh bien oui ! Tous les technocrates ne sont pas des gens brillants, bien qu'ils s'imaginent tous l'être. Brien et Judd se prenaient tous deux pour des phénix. Le technocrate laborieux est rigide, dogmatique, intransigeant et têtu; il a toutes les caractéristiques fondamentales du personnage, mais il ne fait pas d'étincelles. Ce sont ceux qui ont l'esprit vif, les technocrates frimeurs qui sont les plus dangereux et les plus difficiles à reconnaître.

Technocrates frimeurs

Prenez des types comme Ross et David. Ils sont difficiles à décrire. Une fois encore, c'est un artisan qui m'a mise sur la voie et m'a donné un exemple. J'avais un entretien avec un des artisans de mon étude ; il avait coché « audacieux » et « conservateur ». Étant donné qu'« audacieux » a toujours été un adjectif associé à l'artiste, et que conservateur et audacieux sont à mon sens contradictoires, je lui demandai de s'expliquer. Il me répondit, « C'est simple. Si vous faites preuve d'audace à propos d'une idée reçue, vous restez conservateur. Si vous faites preuve d'audace à propos d'une nouvelle idée, vous êtes un entrepreneur. » Les technocrates se sont montrés » audacieux « au sens de résolus et déterminés. Ils ont suivi à la lettre les consignes de réduction des coûts de la vogue de la réingénierie, mais ils n'ont jamais apporté une idée nouvelle. Ils en sont incapables. Mais puisque le technocrate frimeur est également « brillant », il peut nous enfermer dans un tourbillon d'arguments. Et il trouvera généralement seize études et quatre experts pour appuyer son point de vue. Si, pour un sujet donné, on peut produire seize études et quatre experts, c'est qu'il s'agit d'une thèse ancienne, car les études s'appuient nécessairement sur des données passées et les spécialistes ne le deviennent qu'après avoir étudié un phénomène existant déjà. Ces technocrates beaux parleurs sont parfois confondus avec les artistes du type autoritaire.

Les artistes

Artistes purs

Cobb est le meilleur exemple. Ici les qualificatifs appropriés sont : imprévisible, imaginatif, audacieux, intuitif, stimulant. Cobb est cet homme que j'ai comparé précédemment à un pur-sang avant le départ de la course ; il est frémissant, plein de tension nerveuse et d'énergie. Il ne cesse de courir, et il a une idée à la minute.

Artistes autoritaires

Il n'est pas toujours facile de s'entendre avec un artiste autoritaire. Ce n'est pas quelqu'un qui écoute beaucoup, c'est quelqu'un de brillant, très déterminé et souvent très analytique. Mais, tandis que le technocrate frimeur ressasse des idées reçues et déclare « Vous faites ce que je vous dis ou vous partez », l'artiste autoritaire dira « Si vous n'aimez pas mon rêve, bâtissez le vôtre ». Les gens adoptent son rêve à défaut de sa personnalité. Souvent, ses subordonnés sont motivés par l'idée elle-même et sont prêts à s'arranger de la personnalité. Mais si vous êtes sensible à la personnalité, trouvez plutôt un artiste affable.

Artistes affables

Ils parlent aimablement et sont généralement discrets sur eux-mêmes. Ils sont généreux et chaleureux, faciles à vivre et ouverts aux autres. James était comme cela. Un artiste avec une fibre artisane. De grands rêves, de grands projets, mais pas de grandes déclarations (contrairement au technocrate qui n'est que discours), et un moi qui n'a rien d'envahissant. Il était plein de doutes, ne se prenait pas trop au sérieux, ne s'appesantissait jamais sur ses échecs et n'en rejetait jamais la responsabilité sur autrui. C'est pourquoi il est désespéré d'avoir nommé Cam. Il n'accuse pas Cam; il s'en veut à lui-même de son erreur de jugement. On peut parfois confondre l'artiste affable avec l'artisan créatif.

Les artisans

Artisans purs

Des gens comme Robert et Jeb. Robert est celui qui voulait passer la plus grande partie de son année de travail à faire la tournée de toutes les filiales de sa société. Robert est stable, raisonnable, réaliste et digne de confiance. Esprit calme et réfléchi, il se montre patient, tolérant pour les erreurs des autres auxquels il accorde généralement le bénéfice du doute – parfois même contre toute évidence. Il est instruit, et connaît sa profession à fond car il l'a pratiquée toute sa vie. Les seules fois où il perd patience, c'est quand quelqu'un prétend lui dire comment son affaire devrait théoriquement marcher, alors qu'il sait parfaitement que ce n'est pas vrai. Personne ne dirait de lui qu'il est stimulant, mais les gens normaux aiment travailler avec lui, car il apprécie sincèrement leur collaboration.

Artisans rigoristes

L'artisan rigoriste est très méthodique et analytique, sérieux, très conservateur et maître de soi, mais il a tout autant l'esprit ouvert que l'artisan pur. Il faut seulement plus de persuasion pour qu'il change d'avis. Rodney, par exemple, a décrit un incident qui lui est arrivé au début des années 70. C'était à l'époque où les « groupes de rencontres » faisaient florès dans les milieux d'affaires. Son patron avait programmé une session d'une journée et il était censé y assister. Tout se passa bien, mais au bout d'une demi-heure il s'en alla. « Être assis là à parler de ses prétendus sentiments intimes ! Je n'ai pas pu le supporter. Pour moi c'était une vaste perte de temps, mais je sais que pour certains c'était sérieux. » Rodney, vous le voyez, est très réservé, secret. Mais, et cela le distingue des technocrates, il n'impose pas sa vision des choses aux autres. Il n'a pas empêché ses collaborateurs de participer à ce séminaire. Récemment, après l'une de mes conférences, un homme de 76 ans est venu me dire : « Au cours de ma carrière, j'ai été plutôt méthodique et soucieux du détail. Cela veut-il dire que je suis un technocrate ? » Je lui ai répondu, « Si vous posez cette question, vous n'en êtes pas un. » Voyez-vous, les technocrates, quelle que soit leur tendance, ne pensent jamais que quelque chose ne va pas chez eux.

Artisans créatifs

L'artisan créatif partage avec l'artiste affable une grande modestie de comportement. Il est aimable, généreux, mais aussi, comme les artisans purs, réaliste, sensible et il a l'esprit d'équipe (alors que l'artiste, quelle que soit sa tendance, est foncièrement solitaire). Il y a deux choses qui distinguent sans doute le mieux l'artisan créatif de l'artiste affable : la première, c'est que, tandis que l'artiste a une nouvelle idée environ toutes les cinq minutes, l'artisan créatif en a une environ tous les cinq ans. Ce sera une idée en continuité avec le passé et non en rupture radicale. La seconde, c'est qu'il fait germer son idée lentement mais sûrement, la façonne, en veillant à y rallier tout le monde, la polit, la développe et cherche à la concrétiser.

Nous voudrions associer les trois éléments saillants de chacun des trois grands caractères – le brio analytique du technocrate, l'imagination de l'artiste et la sagesse de l'artisan – mais cela ne nous est pas possible. Les humains ne sont pas les dieux. Seuls les dieux allient ces trois traits et seuls les technocrates se prennent pour des dieux. Aussi s'avère-t-il que Herbert Simon avait tort. Aucun stage de formation, aucun cours, aucun livre de gestion ne peut transformer un technocrate dur, arrogant, en artisan raisonnable, non plus qu'un artiste autoritaire en quelqu'un d'attentif; mais il n'y a pas non plus de « système expert » capable de transformer un artiste affable en technocrate.

Ces types de personnalités sont limpides à mes yeux. Je connais ces hommes depuis une dizaine d'années. Mais comme ce n'est pas votre cas, je vais recourir maintenant à quelques exemples qui vous seront peut-être plus familiers. Je sais que beaucoup d'entre nous ont l'impression que les technocrates régissent notre vie, mais ce n'est pas vrai. Pour cerner les problèmes et avancer leur solution, il faut d'abord en prendre conscience. Voici donc la seule recette que vous trouverez dans ce livre : comment reconnaître les artistes, les artisans et les technocrates.

CHAPITRE VIII

Pas de fumée sans feu

Enfin le secret est sorti, comme il doit toujours finir par sortir. La délicieuse histoire est à point pour être racontée aux amis intimes. Au-dessus des tasses de thé et dans le jardin public, la langue va son train. L'eau dormante coule profond, ami ; il n'y a jamais de fumée sans feu.

W. H. Auden

J'AI DÉJÀ PARLÉ DE CETTE TENDANCE à croire que les technocrates régentent nos vies, mais qu'en est-il en réalité ? Conformément au principe selon lequel il n'y a pas de fumée sans feu, examinons certaines histoires récentes du monde des affaires et voyons si nous apercevons des signes de la présence des différents types de personnalités que l'on trouve dans d'autres organisations. Dans ce qui suit, je me suis appuyée sur de nombreuses sources secondaires, en particulier sur un excellent livre de James Collins et Jerry Porras, intitulé *Built to Last*[1].

Dans l'univers des entreprises

Les technocrates ?

Collins et Porras ont décrit en détail l'évolution bien différente de deux concurrents, Wal-Mart et Ames. La

1. James Collins et Jerry Porras, *Built to Last*, New York, Harper Collins, Inc., 1994.

famille Gilman, fondatrice de Ames, qui avait une longueur d'avance sur Sam Walton, connut très tôt la réussite. Mais, tandis que Walton construisait une société privilégiant l'innovation et la créativité du personnel et formait son successeur à l'esprit et à la « manière Wal-Mart », apparemment les Gilman firent une erreur fatale dans le choix de celui qui devait prendre la relève après eux, tout à fait comme James dans mon histoire.

> *Les dirigeants de Ames décidaient de tous les changements en haut lieu et détaillaient dans un code de conduite chacune des mesures que devaient prendre les directeurs de leurs magasins, sans laisser aucune place à l'initiative... À cette époque, le président-directeur général de Ames affirmait : « La vraie réponse et le seul problème, c'est la part de marché. »*

Cela ne ressemble-t-il pas, à votre avis, à un leadership technocratique ? Des manuels précis et détaillés, qui tiennent les gens pour des robots et prônent, pour toute sagesse, le diktat de la part de marché. Conquérir sa part de marché était pour les experts de l'époque la seule cause valable, et ne pas y arriver faisait de vous un imbécile ou un incapable.

Une autre histoire qui se passe dans un autre secteur ; cette fois-ci, c'est celle de Philip Morris et de R.J. Reynolds. Collins et Porras racontent :

> *... au cours des années 70 et 80, alors que Philip Morris investissait sans relâche dans ce qui était son objectif premier..., les dirigeants de R.J. Reynolds utilisaient essentiellement la compagnie comme plate-forme pour leur propre promotion et enrichissement. Ils dotèrent la firme d'une flotte d'avions (surnommée l'armée de l'air RJR), construisirent de coûteux hangars pour avions (ironiquement appelés « Taj Mahal » des hangars), bâtirent pour la société des bureaux aussi beaux qu'inutiles (la « ménagerie de verre », disait-on), qu'ils décorèrent de meubles*

d'époque hors de prix et d'œuvres d'art raffinées... Interrogé sur le bien-fondé de telles dépenses, le PDG, F. Ross Johnson, répondit simplement : « Quelques millions de dollars, cela se perd dans les sables du temps. »

Je n'oserais pas affirmer que Ross Johnson est un technocrate – je ne connais pas l'homme et ne me suis pas penchée sur son cas – mais je peux dire ceci : il y a des ressemblances frappantes entre cette attitude et celle de mes technocrates. Alors que James s'était contenté d'un modeste siège social dans sa ville, ses successeurs avaient construit un « Taj Mahal » de bureaux dans la capitale financière du pays, orné d'œuvres d'art coûteuses, et s'étaient offert leur propre flotte de jets privés. Voler d'un point du monde à l'autre dans ces avions leur donnait le sentiment de leur grandeur ; c'était une preuve visible qu'ils étaient véritablement importants. D'ailleurs, si quelqu'un risquait une objection à de telles dépenses, il était renvoyé. Quand il y a de la fumée...

Et que dire du cas des chaînes hôtelières Howard Johnson et Marriott ?

Tandis que Marriott continuait à investir et à bâtir pour l'avenir, même pendant les récessions, Howard Johnson se préoccupait... de contrôle des coûts, d'efficacité, et d'objectifs financiers à court terme. Là où Marriott mettait un point d'honneur à améliorer sans cesse la qualité et la valeur de ses services, Howard Johnson devenait le « pourvoyeur d'une restauration insipide, pratiquant des prix excessifs et tournant avec un personnel insuffisant, incapable de sentir l'évolution des exigences des consommateurs... Ses profits étaient artificiellement élevés. Il négligeait les réinvestissements. Il faisait des économies de bouts de chandelles sur le personnel, les menus et l'innovation. Les bénéfices venaient de l'absence d'investissement. » Un beau jour, Johnson alla s'installer dans d'élégants bureaux de Rockefeller Center, à New York..., et passa le plus clair de son temps en réceptions et sorties dans la haute société. Un de ses concurrents résumait ainsi la situation : « Chaque fois que je voyais Howard Johnson, il ne manquait jamais de me dire comment il allait réduire les coûts. Je ne pense pas qu'il allait assez souvent dans ses restaurants. S'il avait plus souvent mangé dans ses propres établissements au lieu de fréquenter les restaurants new-yorkais à la mode, il aurait peut-être appris quelque chose. » À l'inverse, Marriott menait une vie relativement modeste, guidé par ce qu'il appelait « l'éthique mormonne du travail », qui l'incitait à visiter lui-même jusqu'à deux cents établissements Marriott par an – et à attendre des autres responsables de sa société qu'ils en fassent autant.

Qu'y a-t-il là de technocratique me direz-vous ? Voyons cela. Toutes les organisations doivent s'intéresser au premier chef au « contrôle des coûts, à l'efficacité et aux résultats financiers à court terme ». C'est un fait. Mais mon technocrate se concentre tellement sur ces points qu'il ne se soucie pas d'autre chose. Ne se souciant ni du marketing, ni de la recherche et du développement, ni de la formation du personnel, il ne se soucie pas de l'avenir. Dans ma compagnie aussi les bénéfices étaient artificiellement élevés, les réinvestissements négligés. Comme l'a dit un artiste : « Ils ont cueilli tous les fruits sur l'arbre pour gonfler artificiellement les résultats. Et que vont-ils faire maintenant ? » Ils ont pressé le citron pour impressionner la galerie, pour montrer quels remarquables gestionnaires ils étaient et cela a marché un moment puisque tous les frais éliminés du système se répercutent immédiatement sur les résultats du compte d'exploitation trimestriel. Mais ensuite que vont-ils faire ? Je vais vous le dire. Ils vont vider les lieux avant que les dégâts à long terme n'apparaissent de manière trop évidente et s'en iront ailleurs vers des succès encore plus éclatants, portés par leur réputation de gestionnaires prétendus remarquables.

Ainsi, pendant que Johnson déjeune dans un restaurant de luxe, Marriott sillonne le pays pour visiter ses restaurants. Vous rappelez-vous quand un de mes éphémères PDG artisans a dit à son patron, Cam, qu'il avait l'intention de visiter toutes ses filiales au cours de l'année ? Vous rappelez-vous ce que lui a répondu Cam « Restez donc ici. Vous avez des choses plus importantes à faire. » C'est-à-dire réaliser des études, réduire les coûts, faire apparaître des profits sur la dernière ligne du bilan. Et voilà.

Enfin, un des traits non négligeables des technocrates est ce désir d'évoluer au sein d'une élite sociale, et que cela se remarque. Ce sont des gens narcissiques, qui adorent parader en public. Certes, Johnson n'est peut-être pas lui-même un technocrate. Peut-être a-t-il laissé son équipe de gestionnaires aux mains d'autres technocrates. Peut-être ceux-ci étaient-ils tous des types formidables. Peut-être...

Les artistes ?

À moins que, comme pour le poète, son domaine ne soit celui des mots, on reconnaît un artiste à ses actions, à ses œuvres, et non à ses déclarations. S'il utilise des mots, ceux-ci vous surprendront; vous ne les aurez jamais entendus tout à fait de cette manière, auparavant. Souvenez-vous qu'il est imprévisible. Juste au moment où vous pensez maîtriser véritablement un sujet, il arrive et élargit votre champ de vision, il vous réveille, vous fait remettre vos certitudes en question. Dès qu'un mouvement s'est structuré, il l'abandonne et ouvre une nouvelle voie. Il ne se vante jamais; il doute de ses capacités même s'il ne l'avoue pas. Ce que nous recherchons, c'est un continuum de créativité, de réalisations concrètes, et non pas seulement des idées (les « technocrates frimeurs » parlent haut et fort, mais si vous faites le bilan de leurs actions, ils n'accomplissent jamais rien de risqué, de non conventionnel ou de créatif). Prenons quelques exemples.

Qu'en est-il de la célébrité de Ted Turner, patron de CNN ? Qu'a-t-il fait (par opposition à ce qu'il a pu dire) ? Toute sa vie est une succession de prises de risques et de paris audacieux. Voici comment Landrum le décrit dans *Profiles of Genius*[2]:

> *Ted Turner est l'incarnation même du preneur de risque en affaires. En 1970, il a risqué sa société d'affichage publicitaire pour acheter une chaîne de télévision en faillite, WTBS. Plus tard, il a risqué cette chaîne pour acquérir les Atlanta Braves et les Atlanta Hawks. Ensuite, il a risqué tout cet ensemble d'une valeur de 100 millions de dollars pour créer CNN. Enfin, il a risqué tout cela dans une tentative d'achat de CBS et il s'en est fallu de peu qu'il ne perde le tout dans son acquisition de la MGM.*

Que dire de sa personnalité ? Landrum continue :

> *Dan Schorr de CNN a dit de Turner : « C'était une boule d'énergie. Il était toujours en mouvement, un peu comme un animal, comme un tigre, bougeant sans cesse... On dit aussi de Ted qu'il passe constamment d'un sujet à l'autre. » À en croire certains employés de CNN, « avoir une conversation avec lui, c'est comme essayer de parler avec un poste de radio ».*

Est-ce que cela ne vous rappelle pas ma comparaison de Cobb à un pur-sang nerveux avant une grande course ? Une boule de tension nerveuse et d'agitation.

Mais ce n'est pas tout ; il y a d'autres similarités. Apparemment, Ted Turner buvait sec, jouait gros, tout comme Cobb. Il était aussi très intuitif et l'un de ses subordonnés a dit de lui : « Si Ted avait prédit que le Soleil se lèverait à l'ouest le lendemain, on aurait ri de cette loufoquerie et en même temps on aurait mis son réveil à l'heure voulue. On n'aurait pas voulu rater ce miracle. » La vision de Cobb

---

2. Gene N. Landrum, *Profiles of Genius*, New York, Promethous Books, 1993.

avait aussi vingt ans d'avance ! Les gens ne comprenaient jamais d'où lui venait cette prescience, et lui non plus d'ailleurs. À l'entendre, sa vision de l'avenir se nourrissait « de l'astrologie, de l'excentricité, du rêve, de liaisons amoureuses, de la science-fiction, d'une perception de la société, de quelque folie probablement... »

Et si nous parlions d'un même type de personnalité ? De Walt Disney, par exemple. Qu'a-t-il fait (et non pas seulement dit qu'il ferait) ? À quoi ressemblait-il ? Chacun sait que la vie de Walt Disney a été marquée par la production ininterrompue de multiples œuvres de création. Ce que beaucoup ignorent, c'est qu'en 1931 il a eu une dépression nerveuse, qu'il a toujours eu l'obsession de la mort, et que son père était notoirement instable, dépressif et souvent violent. Walt lui-même était un solitaire ; à part sa famille, il ne semblait pas avoir de proches. Doué d'une grande imagination, visionnaire, entreprenant et volontaire parfois jusqu'à l'obsession, c'était une machine au mouvement perpétuel. Sa fille le décrit comme un être constamment agité :

> *Une conversation avec papa est une expérience. Il arrive que les simples mots ne suffisent pas à exprimer ce qu'il veut dire et pendant qu'il parle, ses mains ne cessent de bouger. Ses gestes et les expressions de son visage font autant partie de la conversation que ses mots... Il vous regarde..., mais il est tellement pris par son enthousiasme que je ne suis pas sûre qu'il voit vraiment celui à qui il parle... Je l'ai vu poursuivre ce genre de monologue à deux pendant assez longtemps et en sortir convaincu de l'intelligence, de la sensibilité et de l'éloquence de celui qui n'avait fait que l'écouter.*

Walt était aussi totalement imprévisible. Sa fille dit encore :

C'est cette curiosité insatiable, omnivore, qui le pousse toujours en avant... C'est ce qui lui fait modifier Disneyland et tout ce qu'il peut jusqu'à ce qu'il n'y ait plus aucune place pour quoi que ce soit de nouveau ; alors, il démolit quelque chose pour faire place à une nouveauté. Personne, même dans son entourage le plus proche, ne peut prévoir ce qu'il va faire d'un moment à l'autre, mais ce qui est sûr, c'est qu'il fera quelque chose, et si impossible que cela soit, Papa le fera[3].

Solitaire, imprévisible, imaginatif, visionnaire, entrepreneur, tantôt profondément déprimé, tantôt exubérant, histoire familiale de dépression et d'instabilité émotionnelle. N'y a-t-il pas là assez de fumée ?

Et que dire de Bill Gates de Microsoft ? Que sa (relativement courte) vie est une succession ininterrompue d'activité créatrice. On le dit brillant, remuant et toujours poussé vers l'avant : que cherche-t-il à fuir ? La dépression peut-être ? Il admet vivre avec une peur constante de l'échec. Pour moi, c'est de toute évidence un artiste autoritaire. Et que dire de Stephen Jobs de Apple et Next ? Difficile, autocrate parfois et changeant, des succès spectaculaires (et, ensuite, certains échecs, mais je ne pense pas qu'il soit étendu pour le compte). Il a passé la plus grande partie de sa jeunesse à chercher des gourous et des réponses au vide de l'existence. Qui ressent un tel vide ? Le dépressif. Comment le dépressif combat-il ce sentiment ? Par des rêves. De grands rêves. De grands projets. De grands objectifs audacieux[4]. Mais peut-être aucun des personnages que je viens d'évoquer ne sont des artistes. Comme je l'ai dit, je ne les connais pas personnellement et je ne les ai pas étudiés, mais, vous, qu'en pensez-vous ? Pour ma part, je vois un gros nuage de fumée, et quand il y a de la fumée...

---

3. Diane Disney-Miller et Pete Martin, *The Story of Walt Disney*, New York, Holt, 1957.
4. Porras et Collins, *op. cit.*

Les artisans ?

Comment les reconnaître ? Rien de plus simple. Une intelligence sans brio, sans étincelles. Une solide morale et des principes. Francs. Sages. Équilibrés. Ce sont des personnalités d'expérience et de savoir. Raisonnables. De bon jugements ; ils détectent un technocrate à un kilomètre, mais ils respectent les rêveurs : « Les types qui réalisent des études, on en trouve treize à la douzaine, mais les rêves cela ne s'achète pas. » Regardez autour de vous. Il y en a partout, mais vous ne pensez sans doute pas à eux comme étant de l'étoffe dont on fait les leaders, parce qu'ils ne se font pas remarquer. Ils peuvent même paraître ennuyeux. Écoutez cette conversation que j'ai eue récemment :

Elle : Je suis ici depuis trois mois, et je suis en état de choc !

Moi (redoutant le pire) : Pourquoi ?

Elle : Eh bien ! Avant que j'arrive, mon futur patron m'avait fait un tas de promesses sur la manière dont on me permettrait de travailler. Mais j'avais déjà entendu tout cela ailleurs et j'étais donc très sceptique. Or, il a tenu ses promesses ! Tout ce qu'il m'avait annoncé, il le fait ! Il disait la vérité ! Quel choc ! Il m'avait dit que j'aurais beaucoup d'autonomie et c'est vrai ! Il avait dit qu'il me trouverait de l'argent pour explorer de nouvelles voies, et il m'en a trouvé ! J'en arriverais presque à retrouver la foi. Je ne croyais pas qu'il puisse encore exister des gens comme lui !

Moi : Quel genre de type est-il ?

Elle : Très calme. Quand nous sommes épuisés et anxieux, il nous apaise. Il est très honnête. Très direct. Il ne fait pas de promesses qu'il ne puisse tenir. Aujourd'hui, par exemple, il n'est pas là. Il avait promis à sa femme de faire quelque chose avec elle et, malgré tout ce qui se passe au bureau, il l'a fait ! Il mène une vie très équilibrée. Saine, quoi ! Et le plus étonnant, je suis presque gênée d'en parler, on pourrait dire qu'il a des scrupules ! Je ne croyais pas qu'un homme de pouvoir puisse encore avoir des scrupules de nos jours !

L'adjectif « calme » n'est pas le premier qui vienne à l'esprit quand on évoque ce que l'on appelle un leader visionnaire, un artiste. Pas plus que celui d'« équilibré ». Et si les artistes sont généralement susceptibles de scrupules, ce type d'attitude est plutôt le fait de l'artisan. Pensez-vous que la femme qui vient de parler travaillera dur pour son patron ? Il y a toutes chances que oui. Faut-il être « visionnaire » pour motiver les gens, pour les inspirer ? Pas du tout. Certains sont « inspirés » par l'honnêteté, la conviction, la sincérité. Cela signifie-t-il que les artisans ne sont pas des « leaders », qu'ils sont des « managers » ? Ce n'est pas mon avis. Ni celui de cette femme. Et c'est pourquoi ce distinguo manager/leader pose des problèmes.

Il y a différentes façons d'être un leader et nous en sommes venus à imaginer que, si on n'est pas charismatique et visionnaire, on ne peut absolument pas être un chef pour les autres ! Porras et Collins ont écrit, sans s'en douter, tout un ouvrage sur la manière dont travaillent les artisans. L'idée du leadership qui voit loin les dérange tellement qu'ils parlent de compagnies « visionnaires » et gomment la notion même de leadership. Les firmes qu'ils décrivent, 3M, Merck, General Electric, ne sont pas visionnaires, elles sont tout simplement performantes. Et ce n'est pas par hasard. Elles ont eu des dirigeants dignes de ce nom. Tout ce qu'elles ont accompli a été le fait d'un individu, d'une personne, d'une équipe. Les sociétés ne se gèrent pas elles-mêmes. Il apparaît que, dans l'ensemble, leurs dirigeants ont été des artisans. Regardons de plus près certaines de leurs déclarations :

Charisme non obligatoire

> *... la haute qualité des dirigeants, qu'ils soient charismatiques ou non, ne peut expliquer les trajectoires supérieures des compagnies visionnaires...*

Oh mais si, à condition de ne pas définir le leadership par le charisme. Voyons l'un de leurs meilleurs exemples, la société 3M.

Porras et Collins écrivent[5]:

> *Prenons William McKnight. Le connaissez-vous ? Son nom évoque-t-il dans votre esprit l'un des grands dirigeants industriels du XXe siècle ? Pouvez-vous dire quel était son style de leadership ? Avez-vous lu sa biographie ? Si vous êtes comme la plupart des gens, vous savez peu de chose, voire rien du tout, sur Williams McKnight... Pourtant, la société que cet homme a guidée pendant cinquante-deux ans (1914 à 1966) a conquis la gloire et suscité l'admiration de tous les industriels du monde ; elle porte le nom magique de Minnesota, Mining & Manufacturing Company (raccourci en 3M). 3M est célèbre ; McKnight ne l'est pas.*

Cet exemple veut montrer que, parce que McKnight lui-même n'était pas visionnaire, les leaders visionnaires ne sont pas une nécessité. Il suffit de bâtir une grande compagnie, le reste viendra tout seul. Mais qui sont ceux qui bâtissent les grandes compagnies ? Se bâtissent-ils eux-mêmes ? À quoi ressemblait McKnight ?

> *... un homme affable, qui n'élevait pas la voix... attentif aux autres, humble, modeste, un peu voûté, effacé, discret, réfléchi et sérieux.*

À mon avis, on ne peut pas mieux décrire un artisan.

---

5. Porras et Collins, *op. cit.*

La compagnie est le but en soi

> *N'hésitez pas à tuer, à réviser, à changer une idée... mais n'abandonnez jamais la compagnie..., si le but ultime pour vous est la compagnie, et non pas l'exécution d'une idée spécifique ou la mise à profit d'une opportunité du marché s'offrant à point nommé, vous durerez plus longtemps que toute idée – bonne ou mauvaise – et vous pourrez commencer à vous imposer comme une compagnie durable.*

Cela veut dire que, si vous vous attachez à la compagnie elle-même en tant qu'institution dotée d'une existence propre qui dépasse la personnalité de ces dirigeants de l'heure et de ses actuelles lignes de production, vous serez gagnant au bout du compte. Pour ma part, je ne vois rien à redire en principe à un tel postulat, mais, une fois de plus, je voudrais bien savoir qui traite une compagnie comme une institution ! Quel genre d'individu place l'institution au-dessus et au-delà de lui-même ? Richard, l'un de mes artisans, nous a dit précédemment que l'institution est importante ; que les gens aiment sentir qu'ils font partie de quelque chose d'important, qu'ils s'y reconnaissent, qu'ils en sont fiers. Si vous êtes un artisan, on n'aura pas à vous conseiller de traiter l'institution avec respect, vous le ferez d'instinct. Vous êtes modeste et considérez que la responsabilité vous incombe d'assurer durablement la survie et la prospérité de l'institution elle-même. Vous êtes dépositaire de cette promesse. L'organisation n'est pas l'instrument de votre propre promotion. Vous êtes comme ça. C'est votre caractère. Bien sûr on pourrait confier la même mission à un technocrate et il y a toutes chances qu'il l'accepte. Mais, ne vous y trompez pas, il en est incapable. Il est entré dans le jeu pour sa gloire personnelle, non pour la vôtre ou celle de la compagnie. En outre, si nombre d'artistes sont fortement identifiés aux sociétés qu'ils ont créées et veulent que leur création leur survive comme un monument, ils s'intéressent plus au rêve dont la compagnie n'est que l'instrument. Pour poursuivre ce rêve, ils remettent régulièrement l'institution en jeu, lui font courir tous les risques. Nous avons vu cela très clairement avec Ted Turner. Les artisans ne prennent pas le risque de perdre leur institution pour poursuivre un rêve.

Recruter à l'intérieur

> *... si l'on additionne les dix-sept cents ans d'existence des compagnies visionnaires, on ne trouve que quatre cas où un homme de l'extérieur est venu directement occuper le poste de directeur général.*

Réponses ? Si vous voulez le bien de votre compagnie, recrutez à l'intérieur. Question ? Qui recrute à l'intérieur, qui croit le plus dans la continuité ? LES ARTISANS. Tandis que l'on licenciait tous les employés expérimentés de mon entreprise, pour les remplacer par de fringants jeunes diplômés du dehors, les artisans savaient bien qu'on courait ainsi au désastre. Ils savaient que la continuité est importante. Les technocrates, quant à eux, ont tout à fait l'habitude de recruter à l'extérieur, mais le plus significatif n'était pas où ils recrutaient, mais qui ils recrutaient. Ils choisissent toujours leurs clones. Ils se sont ensuite lancés dans des plans compliqués pour assurer la succession, en payant des centaines de milliers de dollars à un consultant extérieur pour qu'il analyse les capacités de l'encadrement du haut en bas de l'organisation. Lorsque venait le temps des promotions, elles allaient toujours à d'autres technocrates comme eux. Voyez-vous, ce n'est pas de recruter à l'intérieur qui est délicat. Cela contribue, bien sûr, à assurer un sentiment de permanence. Cela persuade les gens qu'ils ont de la valeur pour l'institution. Cela permet d'envoyer des signaux stimulants jusqu'au bas de la hiérarchie. Mais l'existence ou l'absence d'une politique de renouvellement du personnel ne nous dit rien. Quels principes, quelles orientations guident le recrutement et les promotions ? Faut-il être consciencieux ou remarquablement perspicace ? Faut-il travailler en équipe ou en solitaire ? Faut-il parler ou écouter ? Etc. Si ces grandes compagnies ont constamment choisi de bons dirigeants, c'est parce qu'elles ont constamment fait preuve d'un jugement sain. Comme les artisans.

Les artistes ont-ils nécessairement un bon jugement ? Si vous arrivez à les attraper au point de rencontre entre la dépression et la manie ils ont un jugement excellent, mais ce n'est vraiment pas leur point fort. *Built to Last* est constellé d'exemples d'artistes qui prennent de très mauvaises décisions en matière de succession (quand ils ne s'en remettent pas au hasard). On a vu James choisir Cam. Soit parce qu'ils doutent de leurs propres talents et donc choisissent des personnalités opposées à la leur, soit parce que leur autoritarisme les empêche de garder quelqu'un de valable auprès d'eux, soit parce qu'ils ont si peur de la mort qu'ils se persuadent qu'ils vivront éternellement et n'ont pas besoin de successeur, soit encore parce qu'ils sont trop occupés à rêver pour penser à leur succession, ils ne prennent pas les bonnes décisions et c'est en fin de compte l'organisation qui en pâtit.

Comme je l'ai dit, Collins et Porras ont écrit un excellent ouvrage fondé sur des recherches sérieuses, et qui fait ce que doit faire tout bon manuel : il décrit à notre intention les « meilleures pratiques » des compagnies qui parviennent à l'excellence. Si j'étais PDG, je le lirais pour y trouver quelques idées. Mais, car il y a un mais, ce que disent essentiellement les auteurs, c'est : corrigez les failles du système, redonnez leur place aux valeurs fondamentales, fixez-vous des objectifs ambitieux et qui tiennent la route, recrutez à l'intérieur de l'entreprise, et ainsi tout ira pour le mieux. Voyons un peu. James avait un système qui fonctionnait bien, une bonne culture d'entreprise, des objectifs dignes de ce nom, et puis il avait recruté Cam qui faisait déjà partie de la société, mais ce n'était pas le bon candidat, et à partir de là tout est allé à vau-l'eau. En un clin d'œil. Comme l'a remarqué Ward Melville, de la Melville Corporation : « J'ai été ahuri de voir à quelle vitesse les chiffres peuvent se détériorer quand il n'y a pas les gens qu'il faut aux commandes[6]. » L'homme que James avait sorti du rang était un pur technocrate – froid, distant, raide, arrogant, intransigeant, cérébral. Les technocrates n'ont pas de valeurs, qu'elles soient fondamentales ou autres ; ils correspondent tout à fait à la définition qu'Oscar Wilde donnait du cynique : quelqu'un qui sait le prix de toute chose, et la valeur de rien. D'ailleurs les technocrates n'aiment pas les objectifs ambitieux et de longue haleine, ils préfèrent ceux que l'on se fixe annuellement, stricts, complexes, mesurables.

Voyons maintenant ce dont les organisations ont réellement besoin. D'équipes. De gens aux compétences et aux talents différents et qui travaillent ensemble.

6. Porras et Collins, *op cit.*, p. 180.

CHAPITRE IX

Que faut-il aux organisations ?

Des gens *qui ont les yeux grands ouverts*
Des gens *qui sont aux écoutes*
Des gens *qui travaillent sans relâche*

Moi, Ici

DE NOS JOURS, il est souvent question de « l'organisation apprenante », mais les organisations en réalité n'« apprennent » pas, ne « voient » pas, ne « font » rien. L'organisation est un concept, une abstraction. C'est le nom qu'on donne à un collectif de personnes. C'est un vocable utile pour désigner ce collectif sans avoir à dire « tel et tel groupe de personnes, organisé selon tel principe afin de réaliser tel objectif ». C'est une *abstraction* utile dans certains cas, mais pas dans tous les cas. Les abstractions et les concepts n'apprennent pas et ne voient pas ; ce sont les gens qui apprennent et qui voient. L'entreprise nord-américaine, par exemple, a été accusée d'avoir une perspective à court terme plutôt qu'à long terme. Est-ce juste, strictement parlant ? Je ne crois pas. L'entreprise nord-américaine est une *abstraction*; elle n'existe pas. Elle n'a pas de perspective à long ou à court terme. Les gens d'affaires nord-américains sont *réels*. Si l'entreprise nord-américaine a une perspective à court terme, c'est que les hommes d'affaires nord-américains ont une perspective à court terme. Ce n'est pas le cas de l'artiste d'ordinaire. Ni de l'artisan. C'est le cas du technocrate et nous lui avons donné le champ libre. Ce n'est pas sa faute. C'est la nôtre. Donc, *acceptons* notre part de son triomphe. Nous aurions dû savoir l'éviter, mais nous n'avons pas su. Il ne sert à rien de pleurer sur les pots cassés. Ce qui compte, c'est ce que nous ferons à partir de maintenant.

Puisque les organisations se composent de personnes, il ne me semble pas farfelu d'imaginer que ce qui s'applique aux personnes en général, puisse s'appliquer à l'ensemble des organisations. Chaque organisation a des problèmes qui lui sont particuliers, de sorte qu'il y a bien peu de choses dont toutes les organisations ont besoin. Il n'y a que les choses fondamentales : une équipe de personnes travaillant de concert pour atteindre trois grands objectifs : l'efficacité, l'expertise et l'efficience.

L'efficacité : faire ce qu'il faut

L'efficacité, pour emprunter les mots de Peter Drucker, consiste à faire ce qu'il faut. Elle consiste à bien choisir ses objectifs. Comment s'y prend l'organisation pour établir ses objectifs et ses stratégies ? Essentiellement, deux écoles de pensée se partagent la définition de la mission d'entreprise : l'une se fonde sur l'analyse et le raisonnement; l'autre sur l'expérience. La première exige qu'on étudie soigneusement les marchés, les concurrents et les fournisseurs avant d'arrêter – de *calculer*, devrions-nous dire – une stratégie. On élabore un *plan*. Cette notion de stratégie fondée sur un plan est évidemment ancienne et honorable. C'est bien de faire des plans. Dans l'univers des activités humaines cependant, il n'est pas facile de planifier. La planification suppose que le passé soit garant de l'avenir. Car l'analyse est toujours en retard; elle dépend de la collecte de « données » *historiques*, de ce qui avait l'habitude d'être et de l'extrapolation de ces données. Première difficulté de cette procédure : les « données » doivent être interprétées; il n'y a que le technocrate pour penser que « les faits parlent d'eux-mêmes ». Deuxième difficulté : le changement est insondable et les extrapolations sont donc rarement justes (ne nous a-t-on pas répété année après année, sur la foi de projections, que les déficits de nos gouvernements seraient amortis en 1992, 1993, 1995, 1997, 2000 ?). On nous a déjà dit qu'il ne pouvait y avoir d'inflation et de chômage en même temps (la fameuse courbe Phillips), mais nous avons appris à nos dépens que cette affirmation ne tenait pas le coup.

Qu'arrive-t-il si les tendances sont contredites ? Comme dit Cobb, il y a toujours des changements, « gouvernement, décès, technologie ». En 1986, Cobb a tenté de m'expliquer une série de manœuvres financières complexes qui lui permettraient d'avaler une entreprise ayant deux fois la taille de la sienne. Je n'ai pas compris un mot de ce qu'il m'a dit, sauf le nom de l'entreprise qu'il visait. *Cinq ans plus tard*, j'ai pris part à une réunion où j'ai entendu son successeur parler des résultats d'un exercice de planification qu'il avait fait exécuter par un consultant au coût de 400 000 $. L'analyse proposait la même cible que Cobb visait cinq ans auparavant ! L'ennui, c'est qu'il était cinq ans trop tard. Tout avait changé. Les « tendances lourdes » ne s'étaient pas maintenues. Le groupe n'avait pas d'argent et l'occasion fut ratée. L'analyse n'est pas mauvaise, mais elle est lente. Elle ne se prête pas très bien au pronostic, à la définition d'objectifs à long terme.

Frustrés par ce qui leur apparaissait comme un manque de réalisme de la part du modèle analytique/rationnel de planification stratégique, des professeurs de gestion comme Henry Mintzberg et James Brian Quinn se sont tournés vers un modèle appuyé sur l'expérience. Quinn nous a appris que, dans le monde réel, la stratégie ne « jaillit pas toute faite comme Minerve du crâne de Jupiter » car elle « implique un si grand nombre de facteurs, de forces et de pouvoirs combinatoires qu'on ne peut prédire les événements avec quelque espoir de probabilité. Par conséquent, la logique commande de procéder avec souplesse et à tâtons[1] ». Il a appelé ce dont nous avions besoin l'« incrémentalisme logique ». Mintzberg a brillamment exposé cette théorie dans un article primé de la *Harvard Business Review*, intitulé « Crafting Strategy » (« L'élaboration de la stratégie »). Et Tom Peters a acquis la gloire et la fortune en prônant l'expérimentation, le tâtonnement, l'essai hésitant et renouvelé. De l'autre côté de l'Atlantique, Hervé Sérieyx a décrété que la « stratégie » est démodée et que le nouveau mot d'ordre est la « tactique[2] ». Le postulat qui milite en faveur de l'expérimentation a été suggéré par Quinn : on ne peut pas prédire l'avenir. Nous sommes comme l'aveugle, incapables de voir à travers le brouillard dense de la turbulence et de la complexité. Nous devons nous servir d'une canne blanche pour sonder les objets autour de nous.

Bon, je ne peux pas voir à travers le brouillard, mais il y a des gens qui peuvent. Les artistes *peuvent*. Pour faire des choix é*clair*és (vous notez que j'ai souligné la syllabe « clair » dans le mot « éclairé »), il faut voir. Il faut de la vision. Parce que notre société semble s'être égarée, nous réclamons de la « vision » et des chefs « visionnaires », comme s'ils pouvaient nous donner des réponses miraculeuses. D'où, je pense, l'intérêt nouveau pour la direction charismatique et le fait que le technocrate réussisse à se faire passer pour visionnaire. Cet enthousiasme, quoique compréhensible, est cependant mal placé.

---

1. J. B. Quinn, « Strategic Change : Local Incrementalism », *Sloan Management Review*, automne 1978.
2. *Le Big Bang des organisations*, Paris, Calmann-Lévy, 1993.

Qu'est-ce que la vision, en fin de compte ? Si nous avions toujours des jumelles collées aux yeux, la vie serait-elle meilleure ? Nous verrions plus loin, direz-vous. Si, mais nous trébucherions sur les broussailles de la vie. Les myopes sont obligés d'utiliser des lunettes pour voir les objets moyennement éloignés. Je me souviens d'avoir essayé les lunettes de ma meilleure amie à l'âge de six ans et de m'être exclamée : « Je ne savais pas qu'on était censé voir les feuilles dans les arbres ! » Myope, je pensais jusque-là que les arbres n'étaient que de grosse boules vertes. Mais si les presbytes portent mes lunettes, ils ne peuvent rien voir clairement ni distinguer les objets moyennement éloignés. Si j'utilise des lunettes de lecture, je ne distingue plus les objets rapprochés. Et ainsi de suite. Pourquoi cette digression ? Pour dire que nous, comme les organisations, avons besoin de toutes sortes de vision – à court, moyen et long terme.

Vous surprendrai-je en disant que les organisations ont besoin d'artistes à un moment donné, à leur tête ou dans une fonction précise comme la recherche et le développement, le marketing ou les finances ? Les artistes ont des jumelles. Si vous pouvez mettre la main sur un vrai, bravo ! Vos chances sont d'environ une sur cent. Les vrais artistes sont difficiles à identifier. On les reconnaît à leurs gestes, non à leurs paroles. Bien sûr, nous avons besoin de chefs visionnaires, mais il y aussi du vrai dans le commentaire de l'artisan à propos de Cobb : « Il n'a jamais mis en œuvre au siège social le système qui aurait permis l'administration décentralisée des filiales. La charrette a donc commencé à perdre ses roues. » Les roues ont tendance à s'échapper de la charrette si on ne leur fait pas attention de temps à autre. L'artiste a tendance à négliger les détails. Ce n'est pas qu'il ne soit pas analytique ; il l'est. James et Cobb pouvaient décrire sur un bout de papier des contorsions financières à n'en plus finir. Mais il ne fallait pas leur demander d'en exposer les détails. Ils ne sont pas *intéressés* aux détails. Les détails les exaspèrent. C'est pourquoi ils délèguent si volontiers. « Tiens, voici le schéma. Occupe-t'en. Il faut que je voie un tel et un tel, que j'aille ici et là. » Les détails les ennuient. C'est l'une des raisons pour lesquelles les artistes s'entourent d'artisans et de technocrates.

L'artisan, en revanche, réagit à la vision de l'artiste en disant des choses comme : « O.K., ça me plaît, mais on ne peut pas aller d'ici à là. Le saut est trop grand. Il faudra faire telle et telle chose d'ici 1997 si on veut arriver là en l'an 2000. » Il est pratique, réaliste. Rome ne s'est pas faite en un jour. Les systèmes et les gens ne peuvent changer du jour au lendemain. L'un nous a dit : « Il faut du temps pour souder une équipe et résoudre les problèmes humains. Les gens ne sont pas des machines qu'on peut allumer et éteindre à volonté. » La plupart des gens ont davantage besoin de stabilité qu'ils n'en nécessitent; ou ils peuvent assimiler les changements. Si nous changeons d'emploi, de ville ou de conjoint, volontiers ou non, notre niveau de stress est susceptible d'augmenter sensiblement. Le changement, bon ou mauvais, est stressant et dépaysant. L'artisan le sait et en tient compte. Il est sage et réaliste. Sa vision est à moyen terme.

Il est un autre genre de vision pour lequel nous avons des expressions comme : « il l'a passée au peigne fin », c'est-à-dire : il a examiné l'affaire sous tous ses angles. Nous voulons que nos avocats scrutent les contrats à la loupe, par exemple. Nous exigeons qu'ils lisent attentivement les petits caractères. Nous n'aimons pas qu'ils nous disent avec désinvolture : « Ça me semble bon. » Je ne sais pas si vous êtes comme moi, mais je tiens à ce que le pilote de mon avion regarde minutieusement les indicateurs et les cadrans de son tableau de bord avant le décollage. Donc, de façon plus générale, nous avons aussi besoin d'une sorte de vision microscopique. Devinez qui est le champion de la vision microscopique ? Ouais, le technocrate. Il vous dira avec plaisir tout ce que vous faites de travers, toutes les faiblesses à court terme du système qui peuvent empêcher, voire rendre impossible, la réalisation des objectifs à moyen et à long terme. C'est essentiel. Comme l'a noté Benjamin Franklin : « Une petite négligence peut engendrer la catastrophe... parce qu'il manquait un clou, le cheval a perdu un fer ; parce qu'il manquait un fer, le cavalier a perdu son cheval ; et parce qu'il n'avait pas de cheval, le cavalier s'est perdu. » Résultat, même si le général avait une excellente stratégie, il a perdu la bataille. Le truc, c'est de circonscrire et de maîtriser cette vision à court terme. Je ne veux pas évacuer le « brillant ». Je veux pouvoir l'exploiter et le mettre au service de l'« humain » et du « réaliste ». Le technocrate est très habile à gérer des choses. Je ne veux carrément pas qu'il ait autorité sur les gens et les rêves.

Est-ce à dire que la vision et les artistes nous dispensent de tâtonner et de planifier ? Ou que l'expérimentation nous dispense de la vision ? Ou que la vision et l'expérimentation nous dispensent de plans et de contrôles ? Je ne crois pas. Vous voyez, ces théories ne sont pas « fausses », simplement elles tentent d'en faire trop, de couvrir trop de terrain, d'être tout pour tout le monde en tout temps et dans toutes les organisations. Elles négligent le contexte, les tâches et les circonstances particulières, les organisations particulières.

Le « mode planification » est bien pour les organisations qui connaissent déjà leur mission. Il ne l'est pas pour celles qui cherchent à la définir. J'ai lu récemment qu'il faut à General Motors huit heures de plus qu'à Ford pour monter une voiture[3]. Il me semble assez évident que GM a besoin d'un « plan ». L'organisation a peut-être aussi besoin d'une vision et d'un sens de l'expérimentation, mais c'est une autre histoire.

---

3. *La Presse*, 12 février 1994.

Le mode expérimental est bien pour les organisations qui cherchent à « adapter » leur mission aux réalités de chaque jour ou de chaque mois. Il y a beaucoup de tâtonnements actuellement dans l'industrie des services financiers. Les organisations cherchent à se situer vis-à-vis des épargnes croissantes des baby-boomers, maintenant d'âge mûr. Est-ce à dire que les institutions financières n'ont pas besoin de plan ni de rêve ? Je ne pense pas.

Le mode visionnaire est indispensable pour les organisations qui se sont égarées, mais on ne pourrait prétendre que toutes nos organisations et nos institutions le sont. (Le président Mao croyait à la révolution permanente et on voit ce que cela a donné.) La vision initiale de James a soutenu l'entreprise pendant au moins vingt ans. Qui sait, les deux autres artistes, Mike et Cobb, l'auraient peut-être soutenue pendant vingt autres années si on leur en avait donné le temps. Mais on leur a coupé l'herbe sous le pied dès qu'ils ont montré des signes d'hésitation. On a peur. Quoi qu'il en soit, le mode visionnaire peut s'imposer dans certaines fonctions à certains moments. Par exemple, il pourrait être utile dans le marketing, la recherche et le développement, et même dans les finances ; le financement créatif a permis à bien des entreprises de poursuivre leurs rêves à long terme. Au gouvernement, il me semble que nous avons besoin de vision dans les officines qui définissent la politique à long terme, mais pas nécessairement toujours au sommet. Ça dépend.

Enfin, ces théories sur la mission de l'organisation sont incomplètes parce qu'elles ne tiennent pas compte du caractère et de son influence sur le jugement. D'après vous, avec ce que nous savons maintenant de l'artiste, de l'artisan et du technocrate, quel sera le mode préféré de chacun ? Ne pensez-vous pas que le technocrate, avec son souci d'ordre et de sécurité, voudra fonctionner selon un « plan » et prétendra jusqu'au bout que c'est la seule façon de faire ? Les expériences échouent parfois et nous savons ce que pense le technocrate des « erreurs » et comment ses subalternes font la grève du zèle pour éviter de « faire des erreurs » ; tel l'artisan qui m'a dit : « J'essaie de me transformer en robot, mais je n'y arrive pas très bien. » Nous savons aussi ce que pense le technocrate de la vision ; il pense que les visionnaires sont des « rêveurs », qu'ils sont « confus », qu'ils ne sont pas « sérieux », qu'ils ne mettent pas « tout leur cœur à l'ouvrage ». Faut-il s'étonner alors que l'idée de planification stratégique ait été si en vogue depuis vingt ans ? Elle convenait parfaitement à la pensée technocratique, qui a triomphé.

Et l'artiste ? Que pense-t-il des plans, selon vous ? Il nous a dit que ces trucs n'étaient qu'une « ... excuse pour ne pas travailler. Ils ne font rien d'autre que de griffonner des tonnes de papier qui seront détruites plus tard de toute manière. Donc, à quoi ça sert ? » L'artisan ajoute : « Je baisse la tête et je me concentre sur mes affaires. » Il n'aime pas les plans non plus. Pour lui, les plans sont irréels. Il aime expérimenter, avancer à tâtons, prendre de petits risques. Il aime perfectionner ce qu'il fait déjà bien. Il utilisera d'abord son vieil outil, puis il en essaiera un nouveau pour voir s'il donne de meilleurs résultats sur une pièce de bois exotique, avec lequel il n'est pas familier. Il sollicitera les conseils d'un artisan d'expérience. Il est toujours aux écoutes.

J'en conclus que ces théories ne sont pas – je répète, *pas* – fausses. Elles semblent livrer des choix mutuellement exclusifs – la planification, l'expérimentation, l'imagination – qui ne sont pas mutuellement exclusifs, mais qui dépendent largement du contexte, de la tâche à exécuter, et de celui qui est aux commandes. Efficacité, faire ce qu'il faut, cela signifie faire ce qu'il faut aujourd'hui, la semaine prochaine ou l'an prochain. Je soutiens donc que les organisations ont besoin de toutes sortes de vision, à court, moyen et long terme. L'une n'est pas un substitut pour l'autre. Le truc, c'est que les bonnes personnes soient à la bonne place au bon moment et de s'assurer que le technocrate fait beaucoup d'influence, mais pas une miette de pouvoir.

L'expertise

Comment acquérons-nous l'expertise ? En apprenant. L'*organisation apprenante* est le slogan à la mode, mais, ai-je dit plus tôt, les organisations n'apprennent pas, ce sont les gens qui apprennent. Voyons de quelle manière et demandons-nous ce que cela signifie pour les organisations.

Je soutiens qu'essentiellement les gens, et l'humanité (qui n'est rien d'autre que l'ensemble des êtres humains), apprennent de trois façons. Santayana nous a dit : « Le progrès de l'homme comporte une phase poétique dans laquelle il imagine un monde. » La phase poétique ou, si vous préférez, la *manière* poétique d'apprendre, est discontinue. Elle est en rupture avec la normalité des choses. On désapprend pour apprendre ; *la peinture progresse par une série de destructions ; le chant qui sera immortel doit d'abord périr de son vivant.* Cette forme d'apprentissage est profondément personnelle. Elle émane de la vision particulière de l'*individu.* Elle n'est pas une entreprise collective. Culturellement, nous avons toujours fait confiance aux visionnaires pour nous montrer la voie. En science, le visionnaire s'appelle *génie* comme Einstein ; dans le monde des lettres, *poète* comme T.S. Eliot ou Arthur Rimbaud ; en politique, *homme d'État* comme Churchill ; en affaires, *leader* ou, en terme générique, *artiste.* Mais l'artiste, loin de bouder le passé, doit le *posséder* pour rompre avec lui. Le bond imaginatif vient à l'esprit averti (comme Copernic ou Einstein) ; un esprit irréfléchi n'est qu'un amateur, un dilettante.

Puis, il y a l'apprentissage continu. L'intuition du génie individuel est transformée en entreprise collective. Nous prenons l'intuition, d'ordinaire vague et fragmentaire, et nous la ressassons. Nous corrigeons ses imperfections. Nous mettons de la chair sur le squelette. L'apprentissage continu procède essentiellement à tâtons : je fais un essai et vous le renouvelez en tirant la leçon de mes erreurs. Nous tentons d'articuler l'intuition, de la rendre claire et concrète. Kuhn appelle cela la *science normale* dans le domaine de la science, mais la méthode vaut dans tous les domaines. L'intuition de James – son rêve, sa métaphore – a été sculptée, façonnée, concrétisée par les maîtres artisans à qui il faisait confiance et à qui il avait délégué son autorité. Sans expérience, sans connaissance du passé – de ce qui a et n'a pas fonctionné –, il n'y a pas d'apprentissage.

Finalement, il y a une troisième forme d'apprentissage, qui ne requiert ni imagination ni pratique pour être assimilée. Elle requiert de l'attention et de la concentration, mais pas d'imagination. Elle consiste à lire, à étudier, à analyser, à examiner le travail des autres. C'est d'abord et avant tout une entreprise individuelle et non collective. Nous disons de celui qui exécute bien ce travail qu'il est informé; si, après beaucoup d'attention et d'effort analytique (et non pas pratique), il le fait très bien, nous disons qu'il est brillant.

L'expérience est donc essentielle à l'imagination, à la compétence et à la brillance, aux trois formes d'apprentissage. Nous observons cela tous les jours en classe. Dans tout groupe de 30 ou 40 de mes étudiants, il y en a une couple qui n'ont pas besoin de moi; leurs intuitions sont plus fortes et plus étranges que les miennes – des artistes. Il y en a deux ou trois qui ne sont ni attentifs, ni imaginatifs, ni compétents et qui, par conséquent, ne pourront pas apprendre (ou n'apprendront pas) – des crétins. Il y en a un ou deux qui prétendent déjà tout savoir – « on dit à la page 24 qu'on fait comme ça » –, des technocrates. Puis, il y a la vaste majorité, dont l'intelligence varie évidemment, qui peut et veut apprendre collectivement, l'un de l'autre et de moi – des artisans. La méthode d'enseignement par cas, l'apprentissage par l'expérience, est idéale pour ce dernier groupe. Les étudiants apprennent des techniques. Certains ne jurent que par l'apprentissage par l'expérience, mais c'est bien sûr un autre exemple de narcissisme. Nous avons aussi besoin d'apprendre par les livres, par l'intermédiaire de superbes professeurs et par les inspirations soudaines de la vision.

De même, dans le contexte organisationnel, on a besoin de gens qui ont différentes façons d'apprendre. L'industrie américaine de l'automobile a échoué sur les récifs de la qualité japonaise, dit-on. On a parlé d'arriver à une qualité supérieure ? Mais d'où vient la qualité ? Ça dépend. Ne peut-elle venir d'une attention méticuleuse aux détails ? Ou d'un grand soin ? La production d'une voiture dépend de la production d'innombrables pièces « parfaites ». On ne voudrait pas d'une voiture neuve dont les portières perdent leur poignée. *Oh ! mille excuses. Ce détail nous a échappé.*

La qualité ne peut-elle venir, ne vient-elle pas aussi du tâtonnement, de l'expérience ? Comment saura-t-on qu'un nouveau truc fonctionne si on n'en fait pas d'abord l'essai ? Les fabricants d'automobiles n'apprennent-ils pas l'un de l'autre, en se copiant et en échangeant des améliorations marginales ?

Bien sûr, nous apprenons aussi à partir d'innovations qui changent notre façon de voir le monde. La Mustang, par exemple, a renouvelé un segment du marché de l'automobile. Le Macintosh a modifié l'image de l'ordinateur. Les études d'innovations majeures démontrent qu'elles proviennent en général d'individus et non pas de groupes ni de grandes entreprises. Pour innover, il faut des inventeurs.

S'étonnera-t-on alors que je dise que les organisations ont besoin de toutes sortes de gens qui apprennent de façons différentes ?

L'efficience : de l'autorité

Depuis Henri Fayol au début du siècle, l'organisation et l'exécution des tâches avec un minimum d'efforts ont été un sérieux problème de gestion. Jusqu'aux années 60, je suppose, le modèle d'organisation efficace semblait simple ; il tenait essentiellement à la « sphère d'autorité ». On ergotait sur la question de savoir si un cadre devait avoir cinq, six, sept ou huit personnes sous ses ordres, mais personne ne remettait en question la sphère d'autorité comme principe de base de l'organisation. La sphère d'autorité suppose une autorité et une hiérarchie. Or, au moins depuis les années 60, les deux principes sont contestés. D'abord, ils l'ont été par des systèmes comme la « gestion matricielle » (partagée entre différents patrons), puis par les « organisations auto-organisantes » (quel que soit le sens de l'expression), mais le plus souvent par un principe plus général : la « gestion participative ». La gestion participative revêt des sens bien différents selon les individus ; il n'y a pas de définition unique ni d'auteur ou d'ouvrage dominant auxquels on puisse se référer. C'est une sorte de principe flottant – je soupçonne qu'il ne pèse pas lourd.

Qui pourrait s'opposer (publiquement) à la « participation » ? Je pense que le réflexe de gestion participative est une réaction normale et intelligente à l'autoritarisme, à l'idée de traiter des gens d'âge mûr comme des enfants et de leur dire quoi faire. Puisqu'on ne nous autorise même plus à traiter les enfants comme des enfants, il semble raisonnable de ne pas traiter les adultes comme des enfants. Mais l'est-ce vraiment ? On nous a dit que les structures d'autorité étouffent la créativité chez les adultes et les enfants, que les organisations ont besoin de la créativité de tous leurs membres et que, par conséquent, les structures d'autorité sont terriblement mauvaises. Le sont-elles vraiment ?

Personne n'aime l'autoritarisme, mais, comme me l'a rappelé mon collègue et ami Laurent Lapierre[4], il ne faut pas confondre autoritarisme et autorité. Celle-ci consiste à établir des frontières et des limites. « La liberté a à voir avec l'autorité », a noté dans un discours récent le maire Giuliani, de New York. « Nous ne voyons que l'aspect oppressif de l'autorité... La liberté tient à la volonté de chaque être humain de céder à l'autorité légitime une bonne part de son libre arbitre[5]. » Le grand art dépend vitalement de *limites*; s'il n'y a pas de limites à dépasser, pas de traditions à combattre, il n'y a pas d'artistes, seulement des amateurs ; la nécessité est mère de l'invention. Les limites sont le principe de la réalité dans tout processus ; le schizophrène qui peint des tableaux crée des images intéressantes, mais *insensées*[6]. Tout parent d'adolescent connaît l'importance des limites ; les psychiatres de l'adolescence nous disent qu'il doit y avoir des limites pour que l'enfant puisse se définir *par rapport* à elles. Pas de limites, pas d'identité. C'est dur, de plus en plus dur de définir ces limites, mais il faut le faire. (Soit dit en passant, Winnicott dit que la tâche de tout parent d'adolescent, c'est la survivance – rien que la survivance.)

Il y a des situations d'urgence, comme la guerre, qui requièrent une autorité forte. Prêtons l'oreille à une conver-

---

4. Laurent Lapierre, « Diriger ou ne pas diriger : voilà la question », *Gestion : Revue internationale de gestion*, vol. 16, n°4 (novembre 1991), p. 54-55.
5. R. Giuliani, « Freedom is About Authority », *New York Times*, 20 mars 1994.
6. S. Arieti, *op. cit.*

sation hypothétique dans les tranchées de la Première Guerre mondiale :

> LE CAPITAINE : *Bon, les gars, je pensais que nous pourrions peut-être aller dans le no man's land cette nuit. Qu'en pensez-vous ?*

> LES SOLDATS : *Ben, on sait pas, mon capitaine. Il fait pas mal clair ce soir...*

L'autorité est donc parfois indispensable.

Ah ! mais c'est une fausse analogie, direz-vous. On ne peut pas comparer les affaires à la guerre. O.K., que dites-vous de ceci ? Nous avons un jour recruté une titulaire d'une maîtrise en gestion, médaillée d'or. Elle était très brillante, avec passablement d'expérience. Nous l'avons engagée pour développer un nouvel aspect de notre organisation. Je lui ai dit : « Voici les paramètres. La façon de faire dépend de toi. » Presque chaque semaine, je lui demandais si elle avançait et elle me disait qu'elle « rédigeait un plan ». Bien, pensais-je. Nous avons enfin une femme sérieuse ici, une femme qui sait ce qu'elle fait. (À l'époque, j'étais très impressionnée par les plans.) Le temps a passé, passé, passé... On a commencé à me laisser entendre, sans prendre trop de détours, qu'il faudrait la congédier. Finalement, exaspérée, je lui ai demandé ce qui n'allait pas. Elle m'a répondu, tout aussi exaspérée, qu'elle ne savait pas ce que je voulais et qu'elle ne pouvait donc pas *faire* de plan. Certains, quel que soit leur degré d'intelligence ou de formation, ne peuvent pas travailler dans le vide ; il leur faut une direction et je ne lui avais pas fait de faveur en lui laissant le champ libre. Elle était misérable. Elle s'est sentie totalement, absolument, démunie. Ce n'était pas une gentillesse de ma part, c'était *inhumain*. Je lui ai donc donné plus de détails – les détails que je connaissais. Par la suite, elle a travaillé superbement et, parfois, créativement.

Autre exemple. Prenons un régime de gestion participative interprété comme étant une gestion par consensus. Supposons quatre personnes intelligentes, créatrices et travailleuses et un sacré paresseux, qui conteste tout ce que veulent faire les autres et qui a le droit de se faire entendre. Les autres ne risquent-ils pas de perdre le moral à l'écouter constamment ? La gestion participative consiste-t-elle à laisser tout le monde s'exprimer également ?

Et encore. Entre les deux grandes guerres, on ne pensait qu'à s'amuser. En Angleterre, tout le monde estimait que l'état des préparatifs militaires était adéquat. Churchill n'était pas d'accord, et c'est lui qui avait raison envers et contre tous. La gestion participative est-elle la règle de la majorité ? Permet-elle de se passer d'une direction ? Peut-on clarifier cela pour moi ? Est-ce que cela veut dire simplement d'écouter ?

Si, dans la meilleure des hypothèses, elle consiste à « écouter », qui est le mieux disposé à écouter ? Est-ce l'artiste ? Peut-être, si vous pouvez l'attraper entre deux avions. Est-ce le technocrate ? Non. Si vous favorisez la gestion participative en pensant qu'elle consiste à écouter, vous serez fort déçu par le technocrate – même s'il parle beaucoup d'écoute lorsqu'il se fait passer pour un artisan. Qui écoute toujours attentivement ? Exact, l'artisan. Est-ce qu'il abdique son autorité ? Jamais. Assume-t-il la responsabilité ? Toujours – même si la mauvaise idée vient de l'un de ses apprentis.

Donc, j'envisage ainsi cette question de participation :

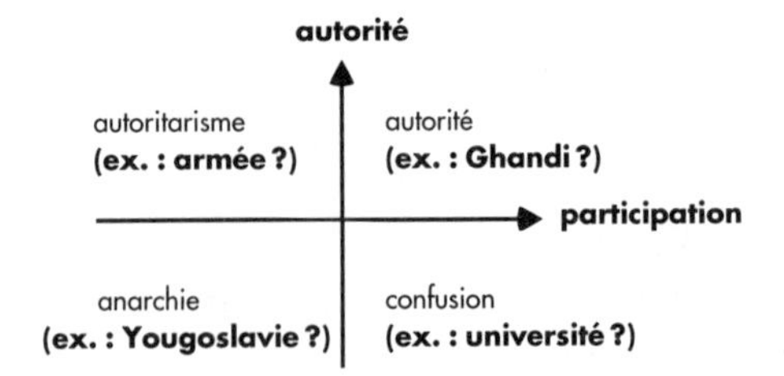

Figure 1. Autorité et participation

Tout dépend de ce qu'on veut accomplir et dans quels délais. À l'université, par exemple, le changement est très, très lent et horriblement *inefficace, à dessein.* En voulant préserver la valeur de la participation, nous recherchons le consensus, et les universitaires ne renoncent pas volontiers à l'autorité. La société s'impatiente de notre incapacité à répondre à ses désirs. (Je ne pense pas, quant à moi, que les universités devraient se plier facilement aux caprices de la société. Ce n'est pas son boulot.)

L'ex-Yougoslavie est un exemple courant d'anarchie, sans autorité ni participation formelle, institutionnelle et structurée de la population aux événements qui forment et détruisent en l'occurrence la vie de tous les jours. L'anarchie est *inefficace* aussi bien à cause de l'absence d'autorité que de l'absence de participation structurelle.

L'armée est le lieu tout indiqué pour l'autoritarisme et la stricte voie hiérarchique, me semble-t-il. Elle serait *inefficace* si elle autorisait plus de participation. La hiérarchie me paraît s'imposer aussi dans le poste de pilotage d'un avion.

PILOTE : *Joe, veux-tu vérifier la jauge de carburant ?*
COPILOTE : *C'est pas mon boulot !*
PILOTE : *J'ai les mains pleines ici.*
PASSAGER : *Quelqu'un pourrait-il la vérifier, de grâce ?*

Bref, il y a un conflit subtil, permanent, entre les exigences de l'autorité et celles de la participation. On ne peut le régler une fois pour toutes et ce ne sont pas toutes les organisations qui ont besoin de plus de « gestion participative ». Je n'en vois pas la nécessité non plus : un sondage récent d'une émission de télévision au Québec indiquait qu'environ 80 % des employés étaient satisfaits de leurs supérieurs immédiats parce qu'ils étaient « écoutés ». J'estime que le management doit être un mélange judicieux et opportun d'autorité et de participation. Quand l'autorité et quand la participation ? Gandhi est l'un de mes héros ; il avait une vision et une autorité personnelles parfois impérieuses, mais il savait aussi quand et comment écouter. Vous avez sans doute votre propre exemple.

Donc, en général, efficacité, expertise et efficience – tout dépend de la tâche à accomplir et de qui l'accomplit. Les recettes qui répondent à tous les besoins sont à rejeter. La farine tout usage est une bénédiction dans la cuisine et elle peut me permettre de remporter un concours de tarte à la citrouille dans mon patelin, mais je ne me fais pas d'illusions sur mes chances de remporter une compétition culinaire à Paris. La plupart d'entre nous n'ont même pas envie de s'inscrire à une telle épreuve.

La plupart d'entre nous, et la plupart des organisations, ont des tâches à accomplir qui requièrent parfois beaucoup de participation et parfois peu, parfois beaucoup d'autorité (et non pas d'autoritarisme) et parfois peu, parfois une vision entièrement nouvelle et parfois simplement beaucoup de travail. Certaines organisations font un mauvais travail d'apprentissage parce qu'elles débordent, comme dans notre exemple, de zèle plutôt que d'imagination ou de compétence et d'expérience. Il n'y avait pas de nouvelles visions parce qu'il n'y avait pas d'artistes, seulement des projections dans un avenir incertain. Pas d'expérimentation, parce qu'il n'y avait pas d'expérimentateurs, pas de qualité parce qu'il n'y avait pas de *culte de l'excellence* – bref, pas d'artisans. Ce sont les gens, et non pas les systèmes et les recettes, qui font la différence.

Comment diable a-t-on pu l'oublier ? Parce que, pour une variété de raisons, on a oublié le caractère. Nous sommes les esclaves de philosophes défunts. On nous a enseigné que tout est dans le comportement : le *behaviorisme*. On nous a enseigné que tout est dans la pensée : l'homme en tant que machine de traitement de données. On nous a enseigné que les hommes sont égaux : l'égalitarisme. Ils sont égaux en ce sens qu'ils méritent tous le respect, mais ils ne sont pas *pareils*. Ces trois principes, et sans doute plusieurs autres, nous ont conduits à penser que n'importe qui peut apprendre n'importe quoi, pourvu qu'on lui en donne l'occasion et qu'on utilise la bonne méthode. Nous imaginons qu'on peut saisir la *manière d'agir* au lasso et enseigner à réformer le comportement, montrer comment être inspirateur. Ou saisir

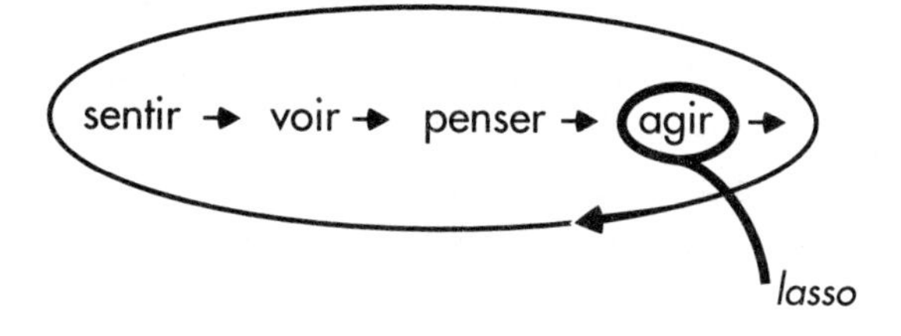

Figure 2. Essai de métamorphose du caractère

la *manière de penser* au lasso et montrer comment être visionnaire en pensant de côté ou à l'envers. Ou saisir la *manière de voir* au lasso et montrer comment la perception est déformée – éliminer le racisme, par exemple. Mais le caractère ne fonctionne pas ainsi. C'est un tout. On peut enseigner à l'artiste à faire attention aux détails, mais il ne peut se métamorphoser. On peut apprendre à un technocrate le langage de la délégation d'autorité, mais il ne peut se métamorphoser. On peut apprendre à l'artisan le langage de la vision, mais il ne peut se métamorphoser.

Cela veut donc dire qu'il faut de la diversité dans l'équipe de gestion. Il y faut des gens capables de susciter le dévouement et la participation, des gens qui savent rêver, des gens qui ont le sens du détail. L'astuce est d'arriver à les faire travailler ensemble dans la même direction. Comment obtient-on un travail d'équipe ? Certainement pas en énonçant de pieuses injonctions sans consistance, comme « respectez-vous les uns les autres », « communiquez entre vous ». Les artistes travaillent-ils bien en équipe ? Oui, en ce sens qu'ils savent généralement qu'il leur faut quelqu'un dont les talents complètent les leurs. Les artisans travaillent-ils bien en équipe ? Oui, la plupart du temps. Même les technocrates travaillent bien en équipe à condition qu'ils ne soient pas tout en haut de l'échelle, à condition qu'ils n'aient pas le pouvoir. Quel est donc l'obstacle principal au travail d'équipe ? Les technocrates en situation d'autorité. Pourquoi ? Parce qu'ils ne respectent personne et qu'ils ne pensent pas avoir besoin d'aide. Alors, comment imaginer qu'ils vont participer à un séminaire sur le travail d'équipe (sauf pour se faire bien voir de leur patron) ? Examinons l'ampleur du problème. Combien sont-ils à occuper des postes de pouvoir ?

Chapitre X

L'ampleur du problème

Tout se désagrège ; le centre ne peut tenir
Clairement, l'anarchie envahit le monde,
La marée ternie de sang se répand, et partout
La cérémonie de l'innocence est submergée ;
Les meilleurs sont sans conviction, et les pires
Sont remplis d'une fougueuse ardeur.

W. B. Yeats The Second Coming

Nul ne connaît l'ampleur du problème, mais nous sentons tous son importance. Nous ne pouvons que nous livrer à des conjectures. Voici les miennes. Vous pouvez bien entendu donner libre cours aux vôtres.

Tout d'abord, je constate autour de nous les signes d'un profond malaise social, économique et politique. Les gens éprouvent des sentiments variés : colère, frustration, dépression, violence, repli sur soi, extrémisme, désespoir. «*Les meilleurs sont sans conviction, et les pires sont remplis d'une fougueuse ardeur.*» C'est cela le malaise social. Le malaise économique se ressent dans une perte de compétitivité et dans l'ébranlement de sociétés commerciales de premier plan comme IBM. Le malaise politique se traduit par un manque de confiance dans nos institutions et dans nos hommes politiques, par le faible pourcentage de votants lors des élections, et, pis encore, par l'effroyable attentat survenu à Oklahoma City. «*Quelque chose est pourri au royaume de Danemark*» (Hamlet); quelque chose va très mal et pas seulement au royaume des affaires. Ce qui s'est passé dans le domaine commercial et financier n'est que le reflet d'un phénomène social beaucoup plus large, le triomphe du technocrate, et ce n'est pas parce que nous changerons les dirigeants de nos sociétés commerciales que nous arriverons à redresser la situation. Cela résoudra certains problèmes économiques, mais les problèmes sociaux et politiques demeureront.

Telle est mon estimation de l'ampleur du problème. Je m'empresse d'ajouter qu'elle n'a rien de « scientifique » et qu'elle est plutôt impressionniste. Comme je l'ai mentionné, on a le sentiment que ce sont les technocrates qui régissent les domaines importants de la vie sociale. Or, si cela était vrai, la plupart des économies occidentales seraient en totale déconfiture. Alors, soyons réalistes, quelle place occupent-ils exactement ?

Dans la population en général

D'après ce que j'ai pu constater dans le secteur privé et dans le secteur public, la population en général, de même que la plupart de ses sous-groupes, est composée en large majorité d'artisans. Dans le lot de mes étudiants chaque année, par exemple, qu'ils se spécialisent en économie, en sciences humaines ou en comptabilité, les artisans sont fortement majoritaires. Les artistes et les technocrates sont en nette minorité. Pour illustrer notre propos, prenons une image qui concrétise notre pensée en utilisant la fameuse courbe normale, ou « courbe en cloche ». Dans la figure 1, nous situons la majorité sous la partie bombée de la courbe, dont nous estimons qu'elle représente 80 % de la population. Sous chacun des rebords de la cloche se situent les artistes et les technocrates, chaque catégorie comptant, disons, 10 % de la population.

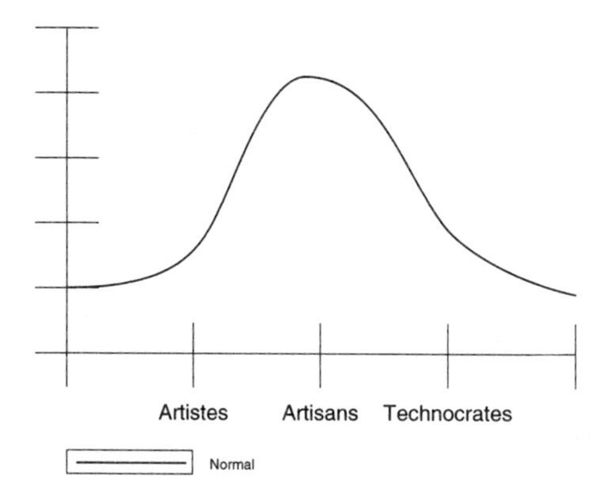

Figure 1. Population générale

Dans les grandes entreprises

Un de mes amis, qui dirige une banque d'investissement et qui négocie constamment des contrats financiers avec des PDG, estime qu'environ 40 % des responsables d'entreprise d'aujourd'hui sont des technocrates. Si son estimation est bonne, et pour ma part j'ai confiance en son jugement, on peut raisonnablement avancer la thèse suivante. Plus on monte dans la hiérarchie, plus la population des artisans diminue et plus les deux autres catégories augmentent. Dès que l'on arrive aux échelons supérieurs les plus élevés de la plupart des organisations, on constate une sous-représentation des artisans et une sur-représentation des artistes comme des technocrates. Les artistes que l'on remarque parmi les grands brasseurs d'affaires sont généralement des personnes qui ont d'abord lancé une petite entreprise et qui ont connu une immense réussite. Des gens comme Jobs, Gates, Turner. Rares sont les artistes qui réussissent à émerger des rangs des grandes sociétés.

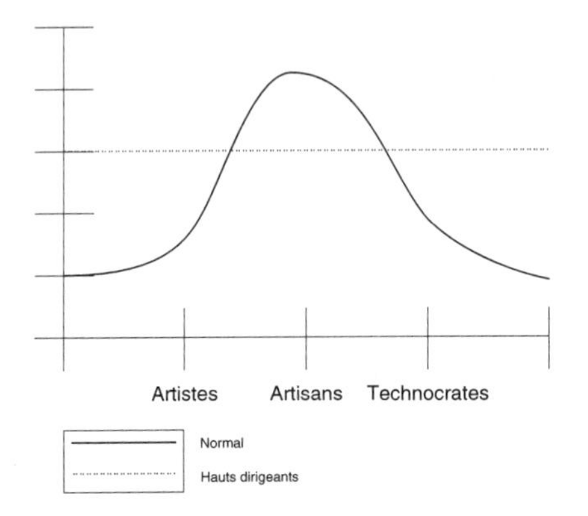

Figure 2. Les grandes entreprises

Autres pays, autres cultures

Cette situation varie relativement selon les pays considérés. La figure 3 décrit le contingent des hauts dirigeants américains, en tenant compte du taux très élevé de création de nouvelles entreprises. Tous les pays ne bénéficient pas du vigoureux esprit d'entreprise propre aux États-Unis ni de larges marchés de capitaux dont ils tirent leurs moyens financiers. Si nous prenons simplement deux autres exemples, la France et l'Allemagne, il me semble que le tableau sera bien différent. Voyons pourquoi. Prenons l'Allemagne. Beaucoup plus que la nôtre, la culture allemande met en valeur le savoir-faire et l'apprentissage. Il est bien rare qu'un dirigeant d'entreprise allemand ne sorte pas du rang de sa société ou d'une autre firme du même secteur industriel et qu'il n'ait pas largement atteint la cinquantaine avant de parvenir au poste suprême. L'expérience acquise au sein de la société compte. Dans une étude[1] sur les 200 plus hauts dirigeants

1. Michel Bauer et Bénédicte Bertin-Mourot, « Production d'autorité légitime, typologie des dirigeants de grandes entreprises et comparaison internationale ». Colloque « Entreprises et Sociétés », Montréal, 21-23 août 1995.

d'entreprise en Allemagne et en France, nous avons appris que 32 % des PDG allemands étaient arrivés à leur poste par promotion interne. En France, le nombre comparable était de 4 %, alors que 36 % venaient de la haute direction de la fonction publique ! Ce que l'économie américaine a perdu dans la prise de pouvoir technocratique, elle l'a compensé par ses entrepreneurs. L'économie allemande est restée forte parce qu'elle met l'accent sur le savoir-faire et l'expérience. Si l'économie française est faible, c'est en partie parce que l'esprit d'entreprise y est moins affirmé et parce que de trop nombreuses grosses sociétés y sont dirigées par des technocrates dépourvus de toute expérience pratique de la firme ou du secteur concernés. Il ne suffit pas d'être intelligent pour diriger une organisation.

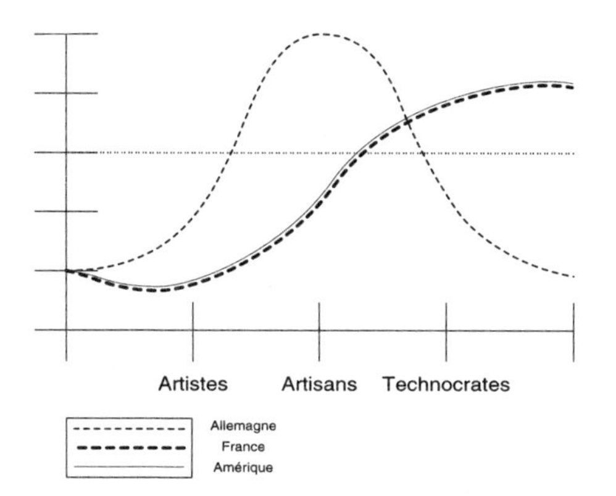

Figure 3. Les dirigeants d'entreprise selon les pays

Le secteur public

Passons maintenant au secteur public. La situation qui y règne donne le frisson. Dans le secteur privé, le marché se charge de mettre le holà à la mauvaise gestion. La sanction est la faillite. Dans le secteur public, il n'existe pas de mécanisme disciplinaire. La responsabilité est trop divisée pour que l'on sache à qui attribuer la faute. C'est toujours la faute du service d'à côté. La seule chose dont l'opinion soit convaincue, c'est que le système marche mal. Les technocrates sont attirés comme des mouches vers les hautes sphères de l'administration parce qu'ils sont avides de pouvoir et de prestige. On flatte ses supérieurs et on gravit aisément les échelons. Et pas question qu'on vous licencie. C'est pourquoi la courbe a cet aspect et amorce une ascension sensible au niveau des technocrates. Les artisans, eux qui croient sincèrement dans le service public, ont singulièrement peu de pouvoir. Quant aux artistes, faut-il en parler ?

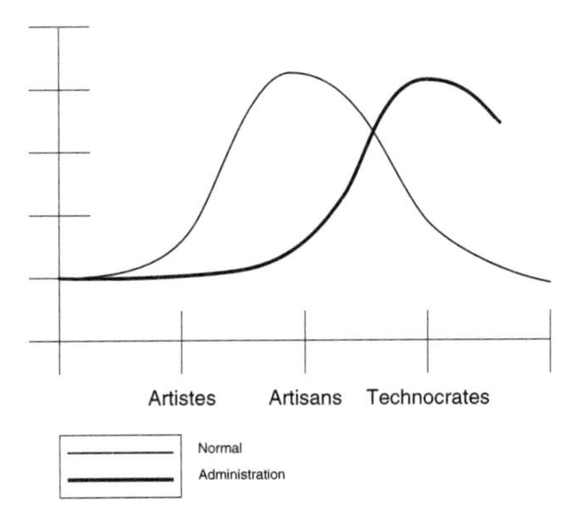

Figure 4. Les hauts fonctionnaires

Dans les petites entreprises

La courbe diffère très largement (ce qui peut aider à comprendre pourquoi petites entreprises et pouvoirs publics sont des ennemis naturels). Les entreprises sont créées par les artisans et les artistes, et ce sont toujours ces derniers qui

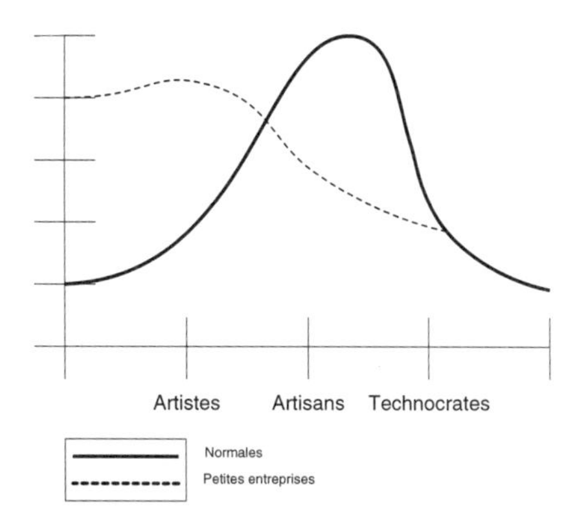

Figure 5. Les petites entreprises

parviennent aux plus grandes réussites. On fait souvent appel aux technocrates, en cours de route, pour gérer une affaire; or, il n'est pas rare que ceux-ci détruisent ce qui a été construit. D'eux-mêmes, ils n'ont pas assez d'imagination pour créer quelque chose, car ils sont radicalement opposés au risque et, pour eux, une petite entreprise manque de prestige. Elle exige trop de travail et n'offre pas assez de gloire. Il existe pourtant une exception à cette règle. Après une conférence que j'ai donnée récemment sur ce sujet, une femme est venue me dire : « Je crois que vous vous trompez en disant que les technocrates ne lancent pas de petites entreprises. » « Comment, cela ? », lui ai-je demandé. « Ils ouvrent des sociétés de conseil », a-t-elle répliqué. Je n'ai pu m'empêcher de rire parce qu'évidemment elle avait raison. Non pas que tous les consultants soient des technocrates. Au contraire, nombre d'entre eux sont des artisans qui ont été évincés par des technocrates. Souvent, ces mêmes artisans finissent par revenir comme consultants dans leur organisation d'origine, qui tente de se remettre sur pied après le passage dévastateur d'un technocrate. Il arrive aussi que les consultants soient des artistes qui, en raison d'un tempérament solitaire, ont du mal à travailler pour quelqu'un d'autre. Toutefois, le métier de consultant est aussi un terrain de prédilection des technocrates parce qu'on peut y jouer à Dieu. Le jeu consiste à appliquer des recettes et des remèdes passe-partout à la société de quelqu'un d'autre, avec l'argent de ce quelqu'un. Aucun risque, aucune responsabilité et des honoraires élevés. Une formule parfaite.

Les femmes aux postes de pouvoir

Pourquoi évoquer particulièrement les femmes ? Parce qu'il existe un mythe largement répandu selon lequel si nous avons tant de problèmes, c'est parce que le monde appartient aux hommes. Si les femmes étaient au pouvoir, prétend-on, tout serait pour le mieux dans le meilleur des mondes. Quelle erreur ! Les femmes ne sont pas toutes des artisans et des artistes créatrices, humaines, affectueuses, délicieuses. Mon expérience m'a appris que les femmes qui réussissent à se faire une place au sommet des organisations – et à y rester – sont souvent des technocrates de la pire espèce. Froides, cassantes, cérébrales, gommant leur féminité sous des tenues sévères, ou l'affichant, au contraire, par leurs robes et leur maquillage pour compenser ce qui manque à l'intérieur. Qu'elles aient été contraintes à cela parce qu'elles ont dû se montrer meilleures, plus rigoureusement technocrates que les hommes pour faire leur chemin, ou qu'elles aient été plus technocratiques au départ et soient allées de l'avant, qu'importe ? Elles sont arrivées là. C'est pourquoi le fait de choisir une femme pour diriger une société n'est absolument pas une garantie.

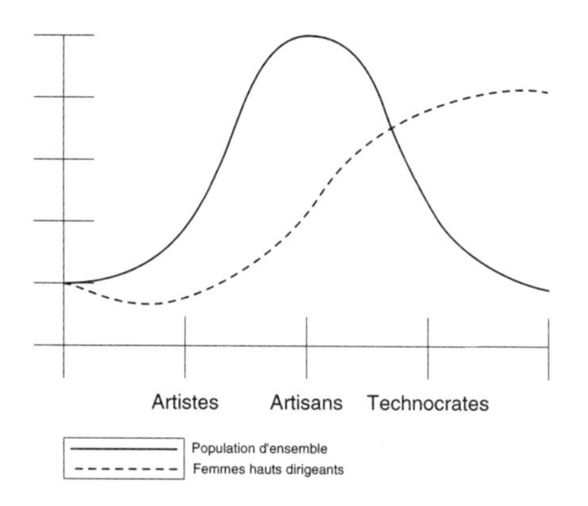

Figure 6. Les femmes aux postes de pouvoir

La vérité ou les conséquences

La mentalité technocratique n'apprécie guère la participation des « imbéciles », elle centralise le pouvoir, refuse toute influence aux gens ordinaires pour la réserver aux « experts » et voilà que, par une curieuse distorsion de la logique démocratique, nous nous trouvons dotés d'un gouvernement « d'Experts, pour les Experts et par les Experts », comme nous le révèle Slama. Les institutions publiques sont démesurées, trop lointaines, trop coupées de la réalité et régies par des codes et des théoriciens. Les professeurs ont le sentiment de n'avoir aucune influence sur ce qui se passe en classe. Les médecins et les infirmières ont le sentiment de n'avoir aucune prise sur le régime de santé publique. Les employés ressentent le fait de n'être pas consultés. Les électeurs sont persuadés qu'ils ont à choisir entre bonnet blanc et blanc bonnet. Beaucoup cessent de se donner le mal de voter. Nous n'avons plus confiance en personne.

Sur le plan collectif, on a eu tendance à combattre le feu par le feu. Confrontés aux dirigeants technocrates des firmes industrielles, et pour pouvoir lutter à armes égales, les syndicats se donnent des leaders technocrates. Pour ne pas être paralysés par les règlements technocratiques de l'administration, les responsables d'établissements scolaires font appel à des technocrates. Pour arriver à vaincre la résistance technocratique aux problèmes d'environnement, les mouvements écologistes louent les services de technocrates sans états d'âme, analytiques, cérébraux et dogmatiques à souhait. Confrontés à la résistance masculine au changement, les groupes de femmes deviennent technocratiques. Combattre le feu par le feu, c'est très bien; seulement, aujourd'hui, l'incendie fait rage.

On trouve des technocrates de toutes sortes, de tous calibres, de toutes apparences. Ils sont présents partout – non seulement dans les entreprises privées, mais dans l'administration, dans les associations à but non lucratif, dans les partis politiques, dans les mouvements militants les plus divers. On ne les identifie pas par les causes qu'ils défendent, mais par la manière dont ils les défendent. Il faut apprendre à les reconnaître d'instinct. Chaque fois que je rencontre quelqu'un qui me fait sentir que je suis : a) une femme (émotive), b) une enfant (immature), c) une incapable (stupide), d) un peu tout cela ensemble; je sais que je suis tombée sur un technocrate. Cela n'est d'abord qu'une impression et puis l'idée s'impose. Comme l'a dit Blaise Pascal : « Le cœur a ses raisons que la raison ne connaît pas. » Je peux désormais flairer un technocrate à cent pas. Cela commence par une sensation désagréable, une légère irritation, un peu d'oppression. Peu à peu, j'arrive à comprendre et à identifier mes sentiments. Je l'entends faire son petit laïus et je sais qu'il nous prend tous pour des imbéciles, qu'il croit seul posséder la Vérité, la Justice et la Morale.

Cette femme a l'air brillante, mais je sens de la raideur. Je sais que son esprit est fermé. Je pense que nous devrions commencer à entretenir une saine défiance de l'épithète

« brillant ». On avait autrefois des expressions qui traduisaient cette méfiance. On disait : « Oh ! lui ? il est un peu trop futé. » L'expression est maintenant désuète. Que voulait-elle dire ? Que s'il était intelligent, il l'était un peu trop pour le bien des autres. « Oh ! oui, c'est un petit malin », disait-on, à savoir : un beau parleur, trop malin pour nous. Ou d'un enfant : « Il est malin ce petit ! » pour dire qu'il avait l'esprit éveillé, ou parfois pour éviter de proférer le « Quel sale gosse ! » qui eût mieux exprimé le fond de la pensée. Le mot malin vient du latin *malignus*, qui veut dire méchant ; cela devrait nous suggérer quelque chose ! En outre, les épithètes « brillant », « futé » et « malin » font référence à l'esprit ; elles ne nous disent rien du cœur, de l'imagination, de la morale. Nous devrions apprendre à dire : « Brillant ? C'est très bien. Et à part ça ? » Et nous devrions observer et écouter un bon moment avant d'émettre un jugement, parce que le qualificatif « brillant » peut convenir aussi bien à l'artiste qu'au technocrate. Il nous faut apprendre à être aussi soupçonneux et incrédules que saint Thomas.

Quand on dit de quelqu'un qu'il est intransigeant, qu'il est têtu, ces deux adjectifs expriment ce que j'appellerais moi du dédain ou du mépris. Nous devrions nous doter d'antennes pour détecter le mépris. Le technocrate est très sûr de lui. Écoutons ces quelques conversations fictives :

> LE TECHNOCRATE : *Nous pouvons conclure que le seul grave problème dans l'immédiat est celui de la couche d'ozone. Il faut donc fermer l'usine.*
>
> UN AUDITEUR DANS LA SALLE : *Je me demande ce que deviendront tous les employés de cette usine. Sans compter les répercussions sur la ville ?*
>
> LE TECHNOCRATE : *Vous tombez dans cet éternel type de raisonnement dépassé. On ne peut pas se préoccuper de*

cela ; les faits démontrent que la planète est en danger. Les faits parlent d'eux-mêmes (espèce d'idiot sentimental).

Autre contexte, autre sujet :

LE TECHNOCRATE : *Nous pouvons donc conclure qu'il faut interdire de fumer sur toute la planète.*

UN AUDITEUR DANS LA SALLE : *Je lisais l'autre jour dans une revue médicale que dépression et dépendance à l'égard de la cigarette sont étroitement liées. Les auteurs de l'article disaient qu'il fallait être prudent avec les gens déprimés, car en insistant pour qu'ils cessent de fumer, on risque de les pousser dans une profonde dépression clinique.*

LE TECHNOCRATE : *Nul doute que cette étude ait été financée par le lobby du tabac (réaction de type paranoïaque) et, même si c'est vrai, c'est leur problème (*réaction narcissique*).*

Autre contexte, autre sujet :

LE TECHNOCRATE : *Nous pouvons donc conclure qu'il faut licencier 1 436 personnes dans la division.*

UN AUDITEUR DANS LA SALLE : *Je me demandais si on ne pourrait pas employer certaines de ces personnes pour mettre au point le nouveau produit proposé par Monsieur Land.*

LE TECHNOCRATES : *Le nouveau produit d'Edward n'a aucune chance de voir le jour. C'est un brave type, mais c'est un rêveur. La photo instantanée, franchement, ça ne tient pas debout, c'est illogique.*

Le technocrate peut avoir raison à propos de la couche d'ozone, à propos de la cigarette et de la photographie. Parce qu'il est brillant, il a souvent raison, mais là n'est pas la question. La question c'est qu'il est persuadé d'avoir raison ; il n'a jamais tort et les autres sont simplement trop bêtes pour s'en rendre compte. Le technocrate ne doute jamais, ne se laisse jamais abattre et a réponse à tout. Il a bien de la chance ! La plupart d'entre nous sont écrasés par le doute. Donc, encore une fois, observons-le. Lui arrive-t-il jamais d'hésiter ? De se remettre en cause ? De se moquer de lui-même ? Ses certitudes sont-elles parfois ébranlées ? En bref, méfiez-vous des certitudes absolues dans un monde où tout vacille ; ne vous laissez pas influencer par celui qui ne fait que répéter comme un perroquet les préceptes d'une sagesse conventionnelle, quelle qu'elle soit.

Si telle est l'ampleur du problème, comment en sortir ? Dans le prochain chapitre, j'esquisserai certains éléments de solution. Ce ne sera pas toute la solution. Ni une solution définitive. Encore moins une solution miraculeuse. Ni une solution rapide. On commencera par mettre à plat toutes les raisons qui nous ont conduits où nous en sommes. Car si l'on se trompe de diagnostic, le traitement ne fait généralement pas grand bien.

Chapitre XI

Des solutions partielles

Les hommes pratiques qui se croient libres de toute influence sont généralement les esclaves d'un économiste défunt.

John Maynard Keynes

Ou d'un philosophe disparu. Pour certains théoriciens, tout le mal vient d'une bande de penseurs français morts depuis bien longtemps. On lit volontiers chez nous des livres intitulés : *Les Bâtards de Voltaire*[1], ou *L'Erreur de Descartes*[2]. Des esprits plus sérieux se réfèrent à une longue tradition qui, certes, passe par Descartes et Voltaire, mais aussi par la lignée des philosophes anglo-saxons, tels Locke et Hume, et par des penseurs plus modernes. Le Triomphe du Technocrate a de nombreux pères en philosophie ; le succès a d'ailleurs toujours de nombreux pères, c'est l'échec qui est orphelin. Le technocrate est la quintessence de l'Homme des Lumières poussée jusqu'à l'absurde. Il est la progéniture inéluctable, la caricature, du triomphe de la « raison instrumentale », de la « raison désengagée », de la logique dépassionnée ou de l'idée dominante selon laquelle la raison divorcée de l'émotion est garante d'un jugement

1. John Saul, *Les Bâtards de Voltaire*, Paris, Payot, 1993.
2. Antonio Damasio, *L'Erreur de Descartes*, Paris, Odile Jacob, 1995.

sain et objectif. À en croire un de nos mythes ambiants, la personne la plus dépourvue d'émotions est nécessairement celle qui prend les meilleures décisions.

C'est sur cette idée fausse qu'a pu prospérer le technocrate. Son triomphe ne manque d'ailleurs pas d'un certain parfum de darwinisme. En effet, de même qu'un homme dont la taille dépasse les deux mètres a des chances d'être un bon joueur de basket-ball, le technocrate est tout simplement l'espèce la mieux adaptée au climat social et intellectuel du monde de l'après-guerre. Ce monde a cru dans l'inéluctabilité du progrès technique, guidé par des ingénieurs et des techniciens de l'économique et du social. Des hommes et des femmes lucides, altruistes, qui par leur énergie et leur intellect étaient capables de planifier et de gérer leurs sociétés nationales, voire le monde entier. On n'était donc jamais trop brillant, jamais trop objectif.

Mais les choses n'ont pas tourné comme on l'imaginait. Divers effondrements politiques, économiques et sociaux ont remis en question le fondement même de la technocratie. On s'est détourné des hauteurs de la raison pour s'adonner aux croyances, à la lecture des astres, au fanatisme et à la violence. La raison instrumentale, la raison utilitaire, l'objectivité froide, la raison elle-même, ont été rejetées en faveur de la « passion », de la « créativité », de l'anarchie. Encore un bébé qu'on a jeté avec l'eau du bain. Pourtant, la raison n'est pas l'ennemie ; en fait, comme d'habitude, elle sera notre salut. Comment cela ? Il nous faudra tout repenser, tout rééprouver, pour réunir ce qui a été dissocié : raison et sentiments ; pensée et émotions. Et nous avons pour cela certains instruments scientifiques à notre disposition.

Les technocrates droits dans leurs bottes ne sont pas forcément mauvais. Dans l'ensemble, ils ont de bonnes intentions. Mais on sait que le chemin de l'enfer est pavé de bonnes intentions. Ils ne sont pas nos ennemis en tant qu'individus, mais en tant que caste, en tant que classe gouvernante. Bien sûr, ils n'ourdissent pas de conspiration ou de complot international, mais ils nous séduisent parce que nous ne sommes pas les esprits libres que nous croyons. Les technocrates, je le répète, ne sont pas mauvais. Ils sont immatures. Ils sont handicapés. Ils sont aveugles. Guidés par des aveugles, est-il étonnant que nous nous perdions ?

Les technocrates et le syndrome phineas gage

Pourquoi sont-ils aveugles ? Appelons la science à la rescousse. Antonio Damasio, un neurologue américain, a écrit le livre de management du siècle, intitulé *L'Erreur de Descartes. Émotion, raison et le cerveau humain*. Évidemment, l'auteur ne sait pas qu'il a produit un traité de gestion; il a simplement voulu écrire un ouvrage scientifique sur le cerveau. Or, il est allé beaucoup plus loin, et son ouvrage est un grand moment de la pensée. Tout esprit curieux devrait le lire. S'il est impossible de lui rendre justice en quelques pages, jetons cependant un coup d'œil aux principaux points de la thèse neurologique de Damasio et au message fondamental qu'à son insu il nous apporte.

Le livre s'ouvre sur l'histoire de Phineas Gage :

> *Nous sommes à l'été 1848, en Nouvelle-Angleterre. Phineas Gage, contremaître d'un chantier de construction, est un garçon de vingt-cinq ans qui nourrit tous les espoirs de réussite et d'ascension sociale. Or, un siècle et demi plus tard, c'est de sa chute qu'on parle encore.*

Phineas Gage, nous dit Damasio, travaillait pour une compagnie de chemin de fer et était chargé de faire sauter des charges de dynamite permettant de déblayer le terrain pour poser les rails. Un instant de distraction, et l'une des charges explose prématurément, faisant voler une barre de fer qui traverse le crâne du jeune homme. C'est une grosse barre : trois centimètres de diamètre, un mètre de long, et un poids de près de sept kilos. La force de la détonation est telle qu'après avoir perforé la tête de Phineas de bout en bout la barre retombe à trente mètres de là. Phineas se relève seul et on l'installe dans un char à bœufs pour le conduire à la ville à plus d'une heure et demie de route. En attendant le médecin, il reste assis sous le porche d'une auberge et raconte son aventure à qui veut l'entendre... Il n'éprouve aucun douleur et ne semble pas choqué par ce qui lui est arrivé. Il est totalement lucide, garde les idées claires. Deux mois plus tard, on le déclare parfaitement guéri et en pleine possession de ses facultés mentales. Il a gardé intactes ses capacités de parole, d'analyse et de raisonnement. Mais il a perdu sa capacité de jugement. Et sa vie, dès lors, ne sera plus qu'une dégringolade jusqu'au désastre total. Pourquoi ?

Autant que je puisse comprendre (n'étant pas spécialiste du cerveau), il a perdu sa faculté de jugement parce qu'il n'éprouvait plus d'émotions, ou que la connexion entre ses sentiments et sa faculté de raisonner ne se faisait plus. Quelle conclusion majeure tirer de cela ? C'est qu'alors que nous avons toujours été convaincus que les émotions peuvent brouiller le jugement (et c'est une vérité évidente), voilà que nous apprenons que l'absence d'émotions peut obscurcir le jugement. On ne peut que constater le paradoxe. Antonio Damasio nous explique pourquoi :

> *Si vous trouvez très bizarre que les impulsions physiques et les émotions puissent être à la fois bénéfiques et nocives, laissez-moi vous dire que ce ne serait pas le seul cas en biologie où un facteur ou un mécanisme donné s'avère négatif ou positif suivant les circonstances. Nous savons tous que l'oxyde nitrique est toxique. Il peut polluer l'air et empoisonner le sang. Pourtant, ce même gaz joue un rôle*

> *de neuro-transmetteur, en envoyant des signaux entre les cellules nerveuses. Un autre exemple, plus subtil, est celui du glutamate, autre neuro-transmetteur. Le glutamate est partout dans le cerveau où il est utilisé par une cellule nerveuse pour en exciter une autre. Pourtant, lorsque les cellules nerveuses sont endommagées, à la suite d'une attaque cérébrale, par exemple, elles libèrent une quantité excessive de glutamate dans les espaces qui les entourent, provoquant ainsi une surexcitation et finalement la mort des cellules nerveuses innocentes et saines situées dans leur voisinage.*

Les émotions précèdent et guident le jugement. Au début, il y a le corps. D'après les recherches de Damasio et de ses collègues, le circuit des émotions est déjà mis en place génétiquement à la naissance. Longtemps avant que ne se développent les fonctions cognitives plus élaborées, l'émotion est présente. Quand il a faim, le bébé pleure. Très graduellement, par un apprentissage quotidien, le petit enfant commence à pouvoir raisonner à propos de ses sentiments. Mais ses pensées sont guidées et déterminées par une base d'instinct et d'émotions. Les expériences émotionnelles négatives conditionneront les processus de la pensée et le raisonnement qui s'y attache. De nouveaux canaux, de nouveaux circuits s'établissent entre les émotions et les pensées. Les êtres humains normaux ne sont jamais sans un arrière-fond d'émotions. Les personnes dont le cerveau est endommagé dans la même région que celui de Phineas Gage sont dépourvues des émotions, des sentiments sous-jacents, qui contribuent au raisonnement, base du jugement. En dépit d'un fonctionnement cognitif par ailleurs intact, elles font preuve de ce que Damasio appelle *une incapacité à se projeter dans l'avenir*; elles sont incapables de tirer les leçons d'erreurs commises et ne peuvent donc pas porter de jugement adéquat sur demain. Elles perdent le sens des priorités et sont trop axées sur le court terme. Lorsque les gens normaux commettent une faute, ils éprouvent du remords, de l'humiliation, de la culpabilité, du chagrin. Si l'on ne ressent rien, pourquoi penser qu'on a fait une erreur ? Qu'est-ce qui peut faire réfléchir et changer d'attitude ? Comment peut-on apprendre ?

À la vérité, les gens que nous redoutons le plus dans la vie sont les sociopathes et les psychopathes ; des gens qui peuvent tuer de sang-froid et sans remords, sans émotion. Damasio dit encore :

> *Nous connaissons tous, à travers les articles des journaux, les personnalités de sociopathes et de psychopathes. Ils volent, ils violent, ils tuent, ils mentent. Ils sont souvent très intelligents. Le seuil auquel leurs émotions se déclenchent, lorsque c'est le cas, est tellement élevé qu'ils paraissent insensibles, et sont, de leur propre aveu, froids, impitoyables et indifférents. Ils sont l'image même de ce sang-froid qu'on nous demande de garder afin de bien agir... Ils sont en fait encore un autre exemple d'un état pathologique dans lequel un déclin de rationalité s'accompagne d'une diminution ou d'une absence de sentiments. Il est certainement possible qu'une personnalité sociopathe soit la résultante d'un dysfonctionnement dans ce même système d'ensemble qui fut détérioré chez Gage, au niveau cortical ou sous-cortical. Mais plutôt que la conséquence d'un accident brutal survenu à l'âge adulte, l'infirmité des sociopathes serait due à l'anormalité des circuits et des signaux chimiques et commencerait aux premiers stades du développement de l'être humain.*

Parallèles technocratiques : de sang-froid

De toute évidence, je ne dis pas que les technocrates sont des psychopathes, mais j'affirmerais qu'ils souffrent d'une absence, ou d'une faiblesse, de connexion entre leurs sentiments et leurs pensées, ce qui leur fait émettre des jugements imparfaits. Souvenez-vous qu'ils sont très froids et cérébraux. Permettez-moi de clarifier ce que je vois comme des parallèles entre cette description et ma conception des technocrates.

L'un des thèmes propres aux technocrates est : « Qu'avez-vous fait pour moi aujourd'hui ? » Ils ne sont pas fidèles, peut-être pour une part parce qu'ils ne possèdent qu'une dose minimale de ce sentiment appelé *gratitude*. Il leur importe peu de savoir si vous avez travaillé toute votre vie pour la société ; ce qui compte, c'est aujourd'hui.

Ils sont également peu pourvus d'un autre sentiment appelé *empathie*. Cela peut expliquer pourquoi ils sont si doués pour la réingénierie ; licencier des centaines de gens ne les empêche pas de dormir une minute. Ils font cela de sang-froid.

Se soucient-ils de qualité ? Pas du tout. Pourquoi ? À cause d'un autre sentiment qui s'appelle la *fierté*. Vous savez, ce sentiment qui tourne un peu la tête quand on est satisfait de soi, content de la façon dont on a réagi dans une situation difficile, fier de ses instincts humanitaires, par exemple. Il ne faut pas confondre la véritable fierté avec l'arrogance intellectuelle.

Et que dire du *doute ?* D'après ce que j'ai constaté, les technocrates ne le connaissent pas. Ils sont toujours sûrs de leurs calculs. S'ils avaient, ne serait-ce qu'un petit doute sur leurs propres capacités, ils pourraient s'entourer de gens qui pensent et agissent autrement qu'eux. Juste au cas où.

Et la *peur ?* Qu'arrivera-t-il si je fais une erreur ? Quels dégâts puis-je causer ? Et si j'ai tort ?

Et le *remords ?* Robert McNamara, ministre de la Défense lors de la Guerre du Vietnam, a écrit tout un livre[3] présenté comme un mea culpa. Mais ce n'est pas du tout un mea

3. Robert McNamara, *In Retrospect*, New York, Times Books, 1995.

culpa, c'est une justification. Cet ancien responsable s'excuse de n'avoir pas consulté assez d'experts. Trente ans après, on ne constate à peu près aucun remords pour les affres dans lesquelles il a contribué à plonger les appelés et le pays. Le rôle qu'il a joué dans le drame vietnamien aurait pu conduire un autre au bord d'une dépression à tendance suicidaire induite par la conscience de sa faute.

À ce jour, mes technocrates n'éprouvent pas de remords devant l'effondrement du rêve. Ils rejettent l'échec sur les systèmes défaillants, les artisans incompétents, les artistes idiots, l'économie, sur tout et sur chacun sauf sur eux-mêmes. Le pire est qu'ils sont sincères. Ils se persuadent eux-mêmes.

Leurs expériences ne leur apprennent rien. Ils refont constamment les mêmes erreurs. Certains ont procédé en toute joyeuse inconscience à la destruction d'autres organisations, ignorant superbement les dégâts qu'ils provoquent. Comme ils ne restent pas assez longtemps pour constater les dommages, ils s'en tirent sans accroc pour leur réputation. Si on en est capable, c'est du grand art.

Pour reprendre l'idée de Damasio, ils sont incapables de voir clairement l'avenir. Tout en multipliant des projets artificiels pour demain, ils sont totalement investis dans le présent. Résultats à court terme. « Notre stratégie est la rentabilité. » L'objectif des bénéfices trimestriels est élevé au rang de principe absolu.

Ils sont aveugles. Ils sont émotionnellement immatures ; comme les adolescents, ils s'imaginent posséder la vérité. Ils sont handicapés ; bien qu'ayant souvent une intelligence bien supérieure à la moyenne, ils portent des jugements erronés. Ils sont dangereux non parce qu'ils sont incompétents, mais parce qu'ils sont trop froids. De même qu'on ne laisse pas les enfants jouer avec le feu, on ne devrait pas laisser les gens émotionnellement immatures jouer avec le pouvoir. Le technocrate n'est pas plus à blâmer pour ses attitudes qu'un enfant pour son immaturité. Mais, à la différence de l'enfant, on ne peut espérer qu'il grandisse ni que l'éducation modifie son comportement. Aussi, tout ce qu'on peut faire, c'est de s'assurer qu'il n'ait pas accès au pouvoir.

Note sur l'éducation

Les diplômés des hautes écoles de gestion sont-ils tous des technocrates ? Et les comptables ? Et les ingénieurs, les économistes ? En bref, faut-il blâmer l'éducation ? Non, mais lui demander de jouer un certain rôle d'antidote. D'abord, une anecdote.

Quelques collègues et moi avons récemment écrit un article sur la prise de décision et nous l'avons envoyé à une revue savante. Je ne sais pas si vous savez comment fonctionnent ces publications. L'éditeur soumet les articles à d'autres universitaires pour en faire la critique avant de les accepter ou de les rejeter. En temps et lieu (dix-huit mois), nous avons reçu leurs critiques et l'article a été accepté. Mais ce n'est pas le sujet de l'anecdote, il se trouve dans l'une des critiques.

Dans notre article, nous faisions mention d'une « cinquième colonne ». Un critique nous a fait observer que nous avions omis de parler des quatre premières colonnes. J'imaginais ce savant professeur, rouge, les yeux exorbités, les cheveux dressés sur la tête, les veines des tempes gonflées, s'écriant : « Cinquième colonne ! Où sont donc les quatre premières ? » Comme vous et mois le savons, « cinquième colonne » est une expression, un terme symbolique qui nous vient de la guerre civile espagnole. Quatre colonnes de soldats des troupes fascistes de Franco se préparaient à investir Madrid, capitale de la République, et on disait qu'une « cinquième colonne » de clandestins les attendait dans la ville, prêts à saper la démocratie de l'*intérieur*. L'expression est passée dans le langage courant pour désigner des espions, des clandestins, en territoire ennemi.

Comment se peut-il qu'un homme si docte, qu'on a effectivement honoré du titre de docteur, le plus haut diplôme qui soit, ne savait pas qu'il s'agissait d'un terme symbolique et que nous n'avions pas à énumérer les quatre autres colonnes ? Comment le titulaire d'un doctorat peut-il être un illettré en fonction ? Probablement parce qu'il n'a jamais lu un roman, un livre d'histoire, de philosophie, de sociologie, de psychologie ou même de journaux. Il n'a probablement lu que des ouvrages de gestion. *Ciel !* Que les sociologues et les psychologues qui se croient blanchis se détrompent, car je ne m'en prends pas qu'aux écoles de gestion ! Rares sont les sociologues ayant des notions de philosophie. Et personne ne sait rien de la Bible comme livre de littérature ou de révélations. On est « spécialiste », formé dans une discipline, mais *sans culture*, et le problème est très, très profond. Nous sommes le contraire de l'idéal que nous prétendons admirer : l'humaniste de la Renaissance, puits d'érudition. Le pire, c'est que nous permettons aux « spécialistes » de nous montrer la voie. Ainsi, Slama note que nous laissons les cancérologues qui ont étudié la biochimie et la médecine dicter à l'État sa politique sur le tabac, alors que les interdictions de fumer soulèvent de graves questions philosophiques impliquant de subtils compromis entre la Justice et la Liberté que les cancérologues ignorent[4]. Je ne suis pas spécialiste en matière de programmes de culture générale, mais Allan Bloom l'est et quiconque s'intéresse à la question devrait lire *The Closing of American Mind*. L'ouvrage a sûrement bouleversé ma perception du milieu universitaire.

Quoi qu'il en soit, le technocrate prospère dans un système éducatif qui encourage les spécialisations étroites.

---

4. Alain-Gérard Slama, L'Angélisme exterminateur, Paris, Grasset, 1993.

D'après mon expérience, il n'est pas très habile à manier les subtilités de la philosophie, de l'histoire ou de la littérature; des sujets que l'on ne réduit pas aisément à des formules ou à une réponse finale. Plus on met l'accent sur un enseignement généraliste qui fait une large place à la culture générale, moins il est susceptible d'émerger en tête du troupeau. En outre, découvrir, côtoyer les meilleurs esprits en science, littérature, philosophie, économie, histoire, mathématiques, est en soi une expérience qui rend humble. Il devient très difficile de rester sûr de soi, de persister à croire qu'on a toutes les réponses. Et même si un brillant technocrate réussit à traverser ce genre d'expérience sans en être atteint, il y aura certains domaines où ses collègues se montreront plus forts que lui. Ils seront capables de s'imposer à lui. Mais tel ne sera pas le cas, évidemment, si la société n'accorde pas de valeur à d'autres arguments; si la société dans son ensemble reste hypnotisée par des analyses aussi froides que brillantes. C'est pourquoi la véritable réponse est que, pour changer, il faut changer ce qui compte pour nous. Pour cela, il nous faut revenir en arrière, plutôt que d'aller vers l'avant. Comme l'affirme C. S. Lewis :

> *Chaque âge a sa propre façon de voir. Il est particulièrement apte à voir certaines vérités et à faire certaines erreurs. C'est pourquoi nous avons tous besoin des livres qui corrigeront les fautes caractéristiques de notre tranche d'âge. Et cela veut dire les livres anciens.*

J'ai le plus grand mal à comprendre pourquoi le désir de rétablir quelque chose de valable devrait sembler si rétrograde. Supposons que vous conduisiez tout en pensant à votre travail. Un peu distrait, vous ratez le tournant habituel et il vous faut faire marche arrière. Vous crie-t-on : « Tu aurais dû continuer tout droit, espèce de rétrograde, réactionnaire, dinosaure » ? Évidemment pas. Il n'y a pas de honte à revenir sur ses pas si l'on a fait une erreur. Peut-être qu'en tant que société nous étions distraits dans les années 60 et 70, et que nous avons pris un tas de mauvais tournants. Peut-être qu'il nous faut revenir sur nos pas. Dans tout autre contexte, ce serait un geste de bon sens et qui ne serait pas tenu pour une régression.

Quand vous conduisez dans le brouillard, est-ce que vous accélérez ? Quand vous êtes perdu, vous mettez-vous à courir ? Il nous faut ralentir et non accélérer. Il nous faut revenir en arrière autant que progresser vers l'avant. Écoutons T.S. Eliot :

Nous ne cesserons pas d'explorer
Et le but de toutes nos explorations
Sera d'arriver là d'où nous sommes partis
Et de découvrir l'endroit pour la première fois

Pourquoi foncer droit devant nous, comme une voiture lancée à toute allure, dont on perd le contrôle (et qui ne tient plus la route) vers un avenir que personne, absolument personne, ne peut connaître ? J'ai l'impression que c'est ce que nous faisons avec nos organisations et avec la société dans son ensemble. Nous partons en roue libre, sans direction. En prétendant tout connaître de l'avenir et en ne connaissant rien de l'avenir. Tout le monde lit les futuristes et personne ne lit Santayana, et pourtant il aurait pu nous mettre en garde. Le même Santayana, qui nous a dit que « le progrès de l'homme passe par une phase poétique pendant laquelle il imagine le monde », nous avait dit en 1905 (si seulement nous l'avions écouté !) : « Le progrès, loin d'être le changement, dépend de la faculté de rétention... Ceux qui ne peuvent pas se souvenir du passé sont condamnés à le reproduire. »

Notre monde a été bâti par la lente accumulation des connaissances et des techniques, ponctuée de temps à autre par des intuitions authentiquement nouvelles, et – je le répète – très rares. Selon Darwin, les espèces résultent d'une gigantesque série de tâtonnements, d'un long artisanat. *Essayons cette espèce. Aïe! Elle n'a pas survécu. Changeons. Essayons-en une autre.*

La médecine, par exemple, est une forme d'artisanat séculaire. Les médecins traitent les patients par tâtonnements. Une patiente se plaint de maux de tête. Le médecin lui prescrit un comprimé de Tylenol. Si son état ne s'améliore pas, il prescrit un Fiorinal. Puis, il propose une scanographie. Si on ne décèle rien d'anormal, un psychiatre lui est conseillé. On découvre que cette patiente est un artisan et qu'au travail elle est entourée de technocrates. Elle quitte son emploi et les maux de tête disparaissent. Quel médecin digne de ce nom aurait fait une exploration neurochirurgicale ? Ouvrir la tête de la patiente, *au cas où*! La solution instantanée. La science médicale avance aussi par tâtonnements et, à l'occasion, fait un bond grâce à une découverte. C'est un processus lent, laborieux. Nous évitons d'introduire les nouvelles drogues trop rapidement sur le marché, par exemple, parce qu'elles peuvent faire plus de mal que de bien. Rappelez-vous la Thalidomide.

En fait, tous les domaines de la science progressent par tâtonnements. Survient parfois un génie qui fait une découverte – comme Copernic. Sinon, pendant des années, voire des siècles, la science suit ce que Kuhn appelle son cours normal. L'artisanat. On affine, jusqu'à ce que surgisse un autre génie qui rompt la *Gestalt* et nous force à désapprendre ce que nous pensions savoir.

L'enseignement est un métier artisanal. Je le sais parce que je l'apprends chaque jour de mes collègues. Je suis passée d'apprentie à compagnon, eux sont les maîtres. On ne peut pas me *dire* comment enseigner. Il faut l'apprendre sous (je dis bien, sous) la direction patiente, tolérante, d'un maître. Je dois les observer, les écouter, leur faire confiance, les suivre. Oh ! il y a bien des « enseignants-nés », des artistes de naissance. Mais ils sont rares. On peut être le plus brillant universitaire au monde et échouer lamentablement dans l'enseignement. Si quelqu'un, disons un technocrate, me dit qu'il a une nouvelle méthode qui révolutionnera l'enseignement, je risque de l'écouter d'une oreille très sceptique. Et si un futuriste me dit que la salle de cours sera bientôt remplacée par un ordinateur qui tient dans la paume de la main, je verserai des larmes d'horreur. Et je résisterai. Violemment. Les êtres humains sont des acteurs et des créateurs. Nous n'avons pas à suivre les tendances. Nous pouvons les inverser, les faire mentir.

L'entrepreneuriat est le plus souvent de l'artisanat. Les propriétaires gestionnaires de petites et moyennes entreprises sont en général des artisans. Ils ont converti leur expérience, leur technique, leur métier en une affaire, d'ordinaire en reconnaissant un produit ou un service comme une innovation relativement mineure, mais essentielle. Ceux qui innovent sur une grande échelle et qui ont un énorme succès sont invariablement des artistes. Et, parmi les millions et les millions d'entreprises qui démarrent, les grandes réussites sont vraiment très rares. Certaines échouent prématurément, parce qu'on a donné trop de pouvoir à un technocrate pour y remettre de l'ordre.

La gestion d'organisation et de personnel est un métier. Ce n'est pas un art ni certainement une science. Le rajeunissement des organisations peut être un art. La gestion des objets et des aspects de l'organisation qui s'en rapprochent peut être une science. Mais la gestion du personnel requiert discernement, patience, expérience, autorité, conviction et réalisme. Que nous réserve l'avenir ? Le meilleur indice du temps qu'il fera demain, c'est le temps qu'il fait aujourd'hui. S'il y a du soleil, il y a une chance sur deux pour qu'il y en ait demain. Demain, la plupart d'entre nous ira au bureau, à l'école, au laboratoire ou à l'usine. En attendant l'avenir, nous devons vivre et travailler. Nous continuerons sans doute à faire pendant quelques années ce que nous faisons depuis quelques années. Ce n'est ni bon ni mauvais. Nous avons besoin de stabilité pour évoluer sainement. Je sais que cela semble paradoxal et ça l'est peut-être. Permettez-moi de vous donner un exemple de ce que je veux dire. Les héroïnomanes deviennent délinquants pour entretenir leur habitude. Quand ils sont en manque et qu'ils doivent se piquer, ils n'ont pas les idées claires. Les produits de substitution, comme la méthadone, visent à offrir au toxicomane la stabilité, le calme dont il a besoin pour prendre la décision rationnelle de changer d'habitude. Quand on est drogué, on est en état de crise et on ne se conduit pas rationnellement. Dans nos entreprises, nous avons besoin de l'autorité calme, honnête et fiable de l'artisan d'expérience pour nous aider à nous conduire rationnellement, pour reconnaître et encourager l'artiste qui pourrait s'y trouver, pour reconnaître les technocrates et avoir l'autorité légitime pour les contenir, pour mettre leur virtuosité technique et leur brillance obséquieuse au service d'objectifs sociaux plus nobles. Clemenceau disait que la guerre était une affaire trop sérieuse pour la laisser aux mains des militaires; la gestion est aussi une affaire beaucoup trop sérieuse pour être laissée aux mains de gestionnaires dits professionnels.

L'artisan voit les nouveaux outils de gestion – car il s'agit d'outils – que proposent les livres sur le management et ne dit pas « non », mais « peut-être ». Réingénierie ? Structures plates ? Peut-être, je demande à mon meilleur technocrate d'y jeter un coup d'œil. Alliances ? Peut-être, je vais y penser. Révolution de l'information, dites-vous ? Peut-être, mais « où est le bon sens que nous avons perdu avec la connaissance, où est la connaissance que nous avons perdue avec l'information[5]? »

Rappelez-vous nos artisans : Jeb, Robert et Rodney. Ils disaient : « Les salariés sont l'actif le plus important de l'entreprise » ; « Il faut investir dans le personnel et le bénéfice suit » ; « On ne peut pas tout changer du jour au lendemain. Il faut du temps pour souder un groupe de personnes. » Ils disent presque tout ce qu'on veut entendre. Mais ils ont dit « peut-être » aux plans brillants des technocrates et on les a remerciés. L'entreprise a échoué parce qu'on a trop – pas trop peu – changé ses structures et son personnel, parce qu'on a avancé trop vite – pas trop lentement. On a fait des embardées, d'une recette à la mode à une autre.

L'artisan est le *sauveur* et le mentor. Depuis quand le réalisme et la conviction sont-ils démodés, dépassés ? C'est lui qui donnera à nos jeunes, qui sont pour la plupart des artisans en herbe, la chance de démarrer. C'est lui qui les admettra dans l'entreprise même s'ils ne sont pas « brillants ». Il ne leur demandera pas s'ils sont « charismatiques ». Il ne s'attend pas à ce qu'ils le soient. Il leur demandera ce qu'ils *savent* et s'ils ont envie d'apprendre à *faire*. C'est lui qui les guidera, leur donnera la possibilité de s'exprimer, les éduquera, les formera et investira en eux. L'artiste n'en a pas le temps. Et le technocrate n'en a pas l'inclination.

Les gens, voilà ce qui compte. Si l'on met la mauvaise personne dans la mauvaise case, on peut transformer une bonne idée en désastre.

5. T. S. Eliott, *Choruses from the « Rock »*.

Conclusion

C'était la meilleure et la pire des époques, c'était le temps de la sagesse et de la folie, le temps de la foi et de l'incrédulité, la saison de la Lumière et la saison de l'Obscurité, le printemps de l'espoir et l'hiver du désespoir, nous avions tout devant nous et nous n'avions rien devant nous, nous allions tout droit au Ciel et nous allions tout droit dans l'autre sens...

Charles Dickens,
Un conte de deux villes

CES MOTS ONT ÉTÉ ÉCRITS EN 1859. Plus ça change, plus c'est la même chose. C'est encore, comme toujours, la meilleure et la pire des époques. Tel est le sort de l'homme. Vivre dans le doute, l'ambiguïté et l'incertitude et quand même aller de l'avant. Comme l'a dit Malcolm Muggeridge à propos de la religion, la foi n'est pas l'absence, mais l'acceptation du doute.

Il est évident que les temps sont durs et déroutants. Les gouvernements et la grande entreprise naguère invincibles sont forcés de vivre dans un monde où les petites entreprises, les petites institutions et la vaste majorité de la population habitent depuis toujours un monde sans garantie, un monde qui exige un crayon bien pointu, une vigilance de tous les instants et de constantes innovations. Ils se sont laissé prendre à leurs illusions technocratiques; les choses ne restent pas inchangées très longtemps. Ils sont forcés de procéder à des compressions et à des restructurations déchirantes. Certaines de ces grandes entreprises auront besoin d'artistes à leur tête pour trouver une nouvelle vision. Certaines auront besoin d'artisans pour mettre fin à leurs illusions de grandeur et revenir à l'essentiel. Celles qui sont vraiment mises au pied du mur peuvent même avoir besoin, provisoirement, d'un technocrate brillant et impitoyable à leur tête pour « dégraisser » et assurer leur survie.

Entre-temps, des travailleurs sont mis à pied. Mais pas chez Microsoft. La nouvelle économie s'esquisse et, comme toujours, les emplois nouveaux viennent des nouveaux joueurs. Les uns sont des artistes, les autres des artisans. Aucun n'est technocrate (un technocrate ne survivrait pas, de toute manière). L'Amérique du Nord, avec son taux élevé de création de nouvelles entreprises, est la favorite des parieurs. Je ne pense pas qu'il nous faille nous avouer vaincus.

J'ai décidé d'entreprendre ce voyage, cette recherche – *recherche* – parce que j'étais furieuse et insatisfaite. Je voyais les technocrates. Je voyais ce qu'ils faisaient et je voulais démontrer que leurs recettes, leur suffisance, leurs vœux pieux et leurs petits laïus étaient dangereux. Je voulais démontrer ce que j'avais souvent constaté, qu'il y a des artistes du management. Leurs rêves quelquefois se réalisent. Comme la plupart, je voyais aussi le monde en noir et blanc, les leaders et les gestionnaires, si on veut. Je ne savais pas, je ne pouvais pas savoir que je découvrirais les artisans et constaterais que cette polarisation de notre pensée les avait occultés. Mais n'est-ce pas l'objet de la recherche ? Trouver, explorer le passé pour éclairer le présent et non pas le projeter dans l'avenir.

Je ne sais pas si l'aube du nouveau millénaire correspond au seuil d'une nouvelle ère. Si c'est le cas, j'ignore s'il s'agira d'une Renaissance de l'artisanat et des artisans – du métier, du réalisme, de la sagesse, de la conviction et de l'autorité légitime. Je l'espère grandement, parce que les artisans permettront aux artistes de reprendre leur souffle – ils leur donneront le loisir de créer et remettront les technocrates à leur place. Je sais cependant que nous avons un mot à dire. L'avenir n'est pas une simple « tendance lourde », il dépend de nous et de nos choix d'aujourd'hui.

Annexe technique

La Liste de contrôle des adjectifs (LCA) a été utilisée pendant les entrevues. Les personnes interrogées – membres du conseil d'administration, collègues et subalternes des quinze sujets chefs de direction – étaient priées de cocher les adjectifs qui leur paraissaient s'appliquer à chaque sujet. Je leur demandais de répondre rapidement et spontanément aux mots clés, tout en gardant à l'esprit les traits dominants de l'individu en question. Par exemple, même si on peut qualifier à peu près tout le monde de « ponctuel », ce n'est pas forcément le premier mot qui vient à l'esprit pour qualifier certains individus. L'objectif était d'établir les caractéristiques de base. Tous les sujets ont collaboré entièrement. L'utilisation du questionnaire a constamment été révisée durant cette phase de la recherche pour assurer une représentation équilibrée et prévenir un parti pris systématique ; en fin de compte, chaque sujet a été « jugé » par un nombre égal d'« artistes », d'« artisans » et de « technocrates ». Le dépouillement du sondage a créé une base de données de neuf mille réponses.

Analyse

Quand les résultats ont été dépouillés, nous nous sommes retrouvés avec une matrice de neuf mille données. À l'examen visuel, elles semblaient confirmer de façon générale l'hypothèse de trois groupes distincts. Cependant, avec une base de données de cette taille, le parti pris perceptuel est un obstacle sérieux : la

« récence » (*recency*), la projection et la catégorisation préalable peuvent influencer ou déformer le résultat final (Hogarth et Makridakis, 1981 ; Tversky et Kahneman, 1981). Des anomalies peuvent être négligées et des tendances secondaires importantes dissimulées. Les données ont donc fait l'objet d'analyses formelles, notamment d'une analyse factorielle et d'une analyse des correspondances.

L'analyse factorielle

L'analyse factorielle est une technique très répandue; Kerlinger l'appelle la « reine des techniques d'analyse » (1986 : 569). Employée pour simplifier les données de recherche de groupes homogènes sous-jacents, ou pour confirmer ou infirmer des *a priori* d'hypothèses, elle est un outil inestimable. Dans le cas qui nous intéresse, elle permet de contourner les préjugés perceptuels notés plus haut. Les bases conceptuelles et mathématiques de l'analyse factorielle sont clairement expliquées ailleurs (Kerlinger, 1986; Overall et Klett, 1972). En termes profanes, la technique consiste à repérer les corrélations pour calculer les constructions mentales ou les « facteurs » sous-tendant les variables.

Dans l'analyse factorielle classique de « type R », nous réduirions nos soixante adjectifs en quelques groupes en corrélation interne étroite, mais de faible corrélation l'un par rapport à l'autre. Notre but est cependant de trouver des ressemblances entre individus, et non pas entre adjectifs. Autrement dit, nous voulons vérifier l'hypothèse selon laquelle il y a un nombre défini de groupes d'individus susceptibles, dans le cadre des définitions citées plus haut, d'être décrits comme « artistes », « artisans » ou « technocrates ». Il fallait donc procéder à une analyse factorielle de « type Q » (Overall et Klett, 1972; Miller et Friesen, 1980), en renversant les lignes et les colonnes dans la matrice et en remplaçant les variables par des individus. Overall et Klett (1972 : 203) défendent un point controversé dans les analyses de type Q :

> ... *le partage des individus ne semble pas faire beaucoup de sens à première vue. Dans le contexte du modèle de facteur linéaire cependant, il est assez raisonnable de concevoir que les « facteurs*

individus » sont des types idéaux *et leurs chargements sont des indices de la relation d'un individu avec un type idéal.*

L'analyse factorielle a été exécutée avec le programme « Facteur » du progiciel statistique des sciences sociales (PSSS), qui extrait les composantes principales et les convertit en solution simple. Une solution « simple » est une solution dans laquelle chaque variable, en l'occurrence chaque individu, contribue principalement à un « facteur » ; il y a plusieurs contributions négligeables dans la matrice factorielle (Kerlinger, 1986 : 581). Nous présentons ici sommairement les dernières étapes. D'abord, nous trouvons les résultats globaux et leur degré de « signification », puis la solution « oblique » finale.

Premièrement, remarquons qu'avec la limite généralement admise de 1 (un) comme valeur propre, la procédure donne trois facteurs représentant à eux seuls 75,1 % de la variance de l'ensemble (Tableau 1).

Tableau 1 **STATISTIQUES D'ORIGINE**

VARIABLE	SIMILARITÉ	FACTEUR	VALEUR PROPRE	% DE VARIANCE	% CUMULÉ
James	1	1	5,24322	35,0	35,0
Cobb	1	2	3,56595	23,8	58,7
Mike	1	3	2,46318	16,4	75,1
Ross	1	4	0,91179	6,1	81,2
Pete	1	5	0,58398	3,9	85,1
Cam	1	6	0,55231	3,7	88,8
Judd	1	7	0,35192	2,3	91,1
Brien	1	8	0,31449	2,1	93,2
David	1	9	0,25667	1,7	95,0
Rodney	1	10	0,15990	1,1	96,0
Robert	1	11	0,14663	1,0	97,0
George	1	12	0,13759	0,9	97,9
Rowan	1	13	0,12562	0,8	98,8
Bill	1	14	0,10685	0,7	99,5
Jeb	1	15	0,07989	0,5	100,0

Il est clair que nous avions trois bons facteurs avec trois bonnes valeurs propres. Il restait à convertir les données en solution simple. La rotation « oblique » suppose que les facteurs aient quelque corrélation. Entre la rotation oblique et l'orthogonale, il n'y a pas de procédure « correcte » ou généralement admise, c'est surtout « affaire de goût » (Kerlinger, 1986 : 582).

La solution finale

Tel que prévu, les purs artisans, Robert, Jeb, George et Rodney, contribuent fortement – respectivement 0,94, 0,92, 0,90 et 0,86 – et uniquement au premier facteur, le « type idéal » de l'artisan.

Cobb, Mike et James contribuent respectivement à 0,88, 0,87 et 0,78 au deuxième facteur, le « type idéal » de l'artiste. James contribue moindrement, mais de façon significative, au facteur « artisan » avec 0,31, confirmant ainsi que l'artiste peut posséder beaucoup des qualités de l'artisan.

Comme prévu aussi, David, Ross et Peter contribuent fortement au troisième facteur – 0,83, 0,68 et 0,67 respectivement –, le « type idéal » du technocrate. Ross apporte une bonne contribution (0,32) au facteur « artiste », indiquant que le technocrate peut afficher des éléments ou des tendances artistiques, mais il contribue de façon négative (– 0,34) au facteur « artisan ». Il est le seul technocrate à contribuer négativement au facteur « artisan », mais il n'est pas le seul à afficher des tendances anti-artisanales. Les deux autres technocrates, qui contribuent à leur manière (0,65 et 0,59) au troisième facteur, sont Cam et Judd. Leurs résultats sont fascinants puisqu'ils influencent fortement de manière négative le facteur « artiste », mais dans une direction opposée. Leurs résultats montrent très clairement l'opposition entre les deux types idéaux.

Bill et Rowan ont été énigmatiques au cours de la période d'observation et d'entrevues, de sorte qu'ils ne ressortent clairement ni comme artistes ni comme artisans. Leurs résultats confirment l'ambiguïté remarquée plus haut dans le cas de Bill, dont la contribution au facteur « artisan » est relativement élevée (0,84) et qui a un apport significatif (0,36) au facteur « artiste ». Rowan, d'autre part, ne contribue qu'au facteur « artisan », mais plus faiblement

(0,52). Son résultat n'a pas surpris : il était déjà évident, au cours des entrevues, que les opinions à son sujet divergeaient radicalement. Les résultats tendaient donc à s'annuler.

Finalement, il y a le résultat anormal, parce qu'imprévu, de Brien. On s'attendait qu'il se range nettement du côté du type idéal de technocrate ; en fait, il contribue fortement au facteur « artisan » (0,68 contre 0,40). Comme les technocrates Cam et Judd cependant, il contribue négativement (−0,55) au facteur « artiste » (Tableau 2).

Tableau 2 **LA SOLUTION OBLIQUE ET LES TYPES IDÉAUX**

VARIABLE	ARTISAN	ARTISTE	TECHNOCRATE
Robert	0,93262		
Jeb	0,91573		
George	0,89821		
Rodney	0,86353		
Bill	0,83884	0,32296	
Brien	0,68253	−0,54930	0,40238
Rowan	0,52813		
Cobb		0,88454	
Mike		0,87064	
James	0,31343	0,77761	
David			0,83254
Ross	−0,33603	0,32420	0,68479
Peter			0,67010
Cam		−0,62962	0,64522
Judd	0,40150	−0,58312	0,58617

Note : Les scores inférieurs à 0,3 ont été omis pour une meilleure lisibilité

Discussion

Globalement, ces résultats sont très satisfaisants. Trois facteurs – non pas six, sept ou deux – émergent, conformément à l'hypothèse. Les individus, sauf un, contribuent selon nos prévisions. Les anomalies, évidemment, ne sont pas surprenantes. Après tout, nous avons affaire à des humains et non à des objets. Les facteurs représentent des types idéaux auxquels les individus se conforment « plus ou moins ». Pour comprendre les anomalies, il faut revenir aux données brutes. En comparant l'idéal de l'artisan à Brien, par exemple, nous constatons qu'il y a corrélation à 0,6950 (p.<0,01). Mais la question la plus importante est de savoir où se situe la corrélation ou, plus précisément, quels sont les points de conjonction et d'opposition. Il arrive que Brien et Judd partagent avec l'artisan son conservatisme et sa stabilité émotive, mais ils s'en éloignent radicalement pour ce qui est de la chaleur, de l'humanité, de la générosité. Ceci nous amène à une remarque générale sur l'analyse factorielle : elle est certes utile et semble donner des résultats satisfaisants, mais elle laisse trop de questions sans réponse. Parce que nous ne pouvons pas du même coup voir les sujets, les types idéaux et les adjectifs qui servent à définir ces catégories, nous sommes forcés de procéder à un examen visuel et encore intuitif d'une grande base de données. Nous avons donc eu recours à une technique analytique européenne peu connue (en Amérique du Nord) appelée « l'analyse des correspondances ». Sa représentation graphique explique mieux les facteurs et les anomalies.

L'analyse des correspondances

La base conceptuelle et mathématique de l'analyse des correspondances a déjà été expliquée (Fénelon, 1981 ; Lebart, Morineau et Warwick, 1984). En résumé, elle emploie une mesure de distance pour permettre la « représentation simultanée de deux groupes de données » et s'applique mieux aux données exprimées en tables de contingences et en code binaire (Lebart, Morineau et Warwick, 1984 : 30). Nos données sont justement de nature contingente : par exemple, « si vous êtes Brien, quelles sont les chances qu'on vous perçoive comme visionnaire ? » Le résultat de l'analyse des correspondances est aussi exprimé au moyen de facteurs, mais de facteurs qui ont été créés simultanément par le poids combiné des adjectifs et des individus. Nous pouvons voir la contribution de chaque individu et de chaque adjectif au facteur et le tableau final dispose toutes les données sous nos yeux. Nous procéderons comme avec l'analyse des facteurs, en donnant d'abord l'ensemble des données et en passant ensuite aux détails.

Les données d'origine

De même que de l'analyse des composantes principales, de l'analyse des correspondances émergent des facteurs auxquels sont associées des valeurs propres. Cela n'empêche cependant pas la création de facteurs selon la force des valeurs propres. Dans le premier tableau, par conséquent, nous remarquons tous les facteurs concevables, même s'ils expliquent peu la variance d'ensemble des données. Notons que, comme dans l'analyse factorielle, les trois premiers facteurs représentent la même somme de variance, environ 75 %. Les deux premiers facteurs sont très dominants, représentant respectivement 42 % et 27 %, pour un total de 69 %.

L'analyse des correspondances, comme des composantes principales, requiert un effort d'interprétation judicieux pour parvenir à ses fins. Au contraire de sa contrepartie nord-américaine, elle n'utilise pas de rotations pour arriver à la « meilleure » solution. L'effort d'interprétation repose plutôt sur l'examen de la composition des facteurs, de la contribution des lignes (adjectifs) et des colonnes (individus) à leur création, et de l'examen des représenta-

Tableau 3 **DONNÉES INITIALES DE L'ANALYSE DES CORRESPONDANCES**

FACTEUR	VALEUR PROPRE	% DE KHI-DEUX	% CUMULÉ
1	0,18360	41,759	41,759
2	0,12068	27,449	69,208
3	0,02854	6,490	75,699
4	0,02305	5,244	80,942
5	0,01448	3,293	84,235
6	0,01410	3,207	87,442
7	0,01189	2,704	90,147
8	0,01057	2,405	92,551
9	0,00752	1,711	94,262
10	0,00681	1,550	95,812
11	0,00567	1,289	97,101
12	0,00523	1,189	98,290
13	0,00415	0,945	99,235
14	0,00337	0,765	100,00

tions graphiques des facteurs, deux par deux, dans un espace bidimensionnel. L'ensemble du processus d'interprétation ne sera pas présenté ici. Nous ne livrons que les résultats finals.

Composition du facteur 1

Il est important de garder en mémoire qu'avec cette technique d'analyse, les contributions positives et négatives « comptent ». C'est-à-dire que certains adjectifs « s'attirent » ou « se repoussent » mathématiquement. De même, certains individus « s'attirent » ou « se repoussent » aussi mathématiquement. Dans ce cas, le facteur est un vecteur linéaire dans un espace dont la position est influencée par les autres facteurs, individus et adjectifs. Nous avons vu dans les données initiales que le facteur 1 est très significatif et qu'il représente plus de 40 % de la variance totale dans les données. Le facteur 1 est « composé » d'adjectifs et de personnes. En ce qui concerne le poids ou la masse mathématique, il est constitué, dans l'ordre, par Cobb, Mike, James et Ross et influencé négativement dans l'ordre par Brien, Rodney, Judd, Robert et Cam. C'est nettement notre vecteur ou type idéal de l'artiste. Avec la contribution positive de nos artistes de l'analyse factorielle et celle, négative, de notre type idéal de technocrate, l'opposition entre les deux styles se manifeste clairement, tout comme la contribution négative des deux artisans. On en comprendra plus certainement la raison plus loin, mais nous dirons pour l'instant que l'artisan « repousse » l'artiste, parce qu'à d'importants égards, ils sont très différents. Consultons les résultats sommaires du tableau 4.

Tableau 4 **LES INDIVIDUS ET LE FACTEUR 1**

POSITIF		NÉGATIF	
INDIVIDU	CONTRIBUTION	INDIVIDU	CONTRIBUTION
Cobb	232	Brien	−106
Mike	157	Rodney	− 88
James	101	Judd	− 71
Ross	79	Robert	− 69

Note : Le logiciel ADDAD utilise une base de 1000

Ce qui valait pour les personnes vaut aussi pour les adjectifs. Certains adjectifs s'associent positivement au vecteur art et d'autres négativement. Parmi les associations positives nous trouvons, dans l'ordre : téméraire, audacieux, intuitif, stimulant, changeant, imprévisible et entrepreneurial. Et à l'opposé : conventionnel, méticuleux, contrôlé et méthodique, qui sont fortement repoussés. Cela explique pour quelles raisons les artisans Rodney et Robert ont une contribution négative à ce facteur. L'artisan est rarement considéré comme téméraire et imprévisible ; le technocrate, lui, est souvent perçu comme conventionnel et, surtout, méticuleux. La richesse du traitement simultané de l'analyse des correspondances nous permet donc de saisir ces nuances. Les résultats sont présentés dans le tableau 5.

Tableau 5 **LES ADJECTIFS ET LE FACTEUR 1**

POSITIF		NÉGATIF	
ADJECTIF	CONTRIBUTION	ADJECTIF	CONTRIBUTION
Téméraire	71	Conventionnel	−39
Audacieux	55	Contrôlé	−34
Intuitif	54	Méticuleux	−31
Stimulant	51	Méthodique	−30
Changeant	46		
Imprévisible	43		
Entrepreneurial	41		

Ces résultats sont fascinants en soi, mais ils sont encore plus explicites quand on les juxtapose à d'autres résultats. Le facteur 2, comme nous avons vu, contribue puissamment à expliquer la variance de l'ensemble. Nous devrions avoir beaucoup à tirer de sa configuration, par conséquent. Nous procédons à l'interprétation de ces résultats, puis à la juxtaposition des deux facteurs dans l'espace. Le facteur 3 sera négligé puisqu'il n'ajoute rien à notre compréhension.

Composition du facteur 2

Le facteur 2 fournit 27 % de l'explication de la variance totale. Il est surtout constitué de 10 individus et de 10 adjectifs. Pour la contribution positive, il est formé, dans l'ordre encore une fois, des technocrates Cam, Ross, David, Judd et Peter. Le vecteur est influencé négativement par Bill, Jeb, Robert, James et George, trois purs artisans, un artisan à tendance artistique et un artiste aux tendances humanistes, de l'artisan. Ici, nous voyons l'écart de caractère entre le technocrate et l'artisan. Le tableau 6 en illustre les points saillants.

Tableau 6 **LES INDIVIDUS ET LE FACTEUR 2**

POSITIF		NÉGATIF	
INDIVIDU	CONTRIBUTION	INDIVIDU	CONTRIBUTION
Cam	211	Bill	-98
Ross	140	Jeb	-84
David	100	Robert	-62
Judd	70	James	-54
Peter	63	George	-36

Les individus qui influencent le vecteur racontent une histoire qu'animent et embellissent les adjectifs. Dans le cas du facteur 2, les cinq adjectifs forts qui sont positivement associés sont : difficile, têtu, distant, austère et intransigeant. Les adjectifs qui sont le plus fortement associés négativement sont : humain, aimable, chaleureux, obligeant et généreux. Le vecteur semble produire une sorte de thermomètre, un continuum, qui va de chaleureux pour l'artisan le plus pur à froid pour le technocrate le plus pur. Le tableau 7 illustre leur contribution relative.

Tableau 7 **LES ADJECTIFS ET LE FACTEUR 2**

POSITIF		NÉGATIF	
ADJECTIF	CONTRIBUTION	ADJECTIF	CONTRIBUTION
Difficile	64	Humain	−41
Têtu	57	Aimable	−36
Distant	50	Chaleureux	−31
Austère	46	Obligeant	−30
Intransigeant	38	Généreux	−30

Soulignons que ces procédures d'analyse provoquent des constructions, des types idéaux, et que les vraies personnes n'obéissent que rarement au strict continuum. Les constructions aident toutefois à mettre de l'ordre dans un monde autrement incompréhensible. Quelques constructions ou types idéaux, pris dans leur ensemble, peuvent nous aider à situer et à mieux comprendre les individus qui composent l'entreprise. La position des facteurs 1 et 2 sur deux dimensions – ce que permet de faire l'analyse des correspondances en traitant toutes les variables également et simultanément – ajoute une complexité nécessaire et révélatrice au portrait que nous traçons. La figure 1 montre le facteur 1, le vecteur artiste/technocrate, sur l'axe horizontal; le facteur 2, le vecteur technocrate/artisan, sur l'axe vertical. Elle affiche à la fois les individus et les adjectifs.

Une réserve à cette interprétation : dans l'analyse des correspondances, il est légitime de comparer les groupes d'adjectifs et, à l'intérieur des groupes, leur position relative. De même, il est légitime de comparer la position des groupes d'individus et des individus à l'intérieur des groupes, comme d'interpréter les individus par rapport à un groupe d'adjectifs. Il ne convient toutefois pas de parler d'un individu et d'un adjectif; en d'autres termes, on ne peut pas dire « l'individu X est austère », parce que la position de l'individu et de l'adjectif est conjointement déterminée par tous les adjectifs et tous les individus.

CARTE DE LEADERSHIP

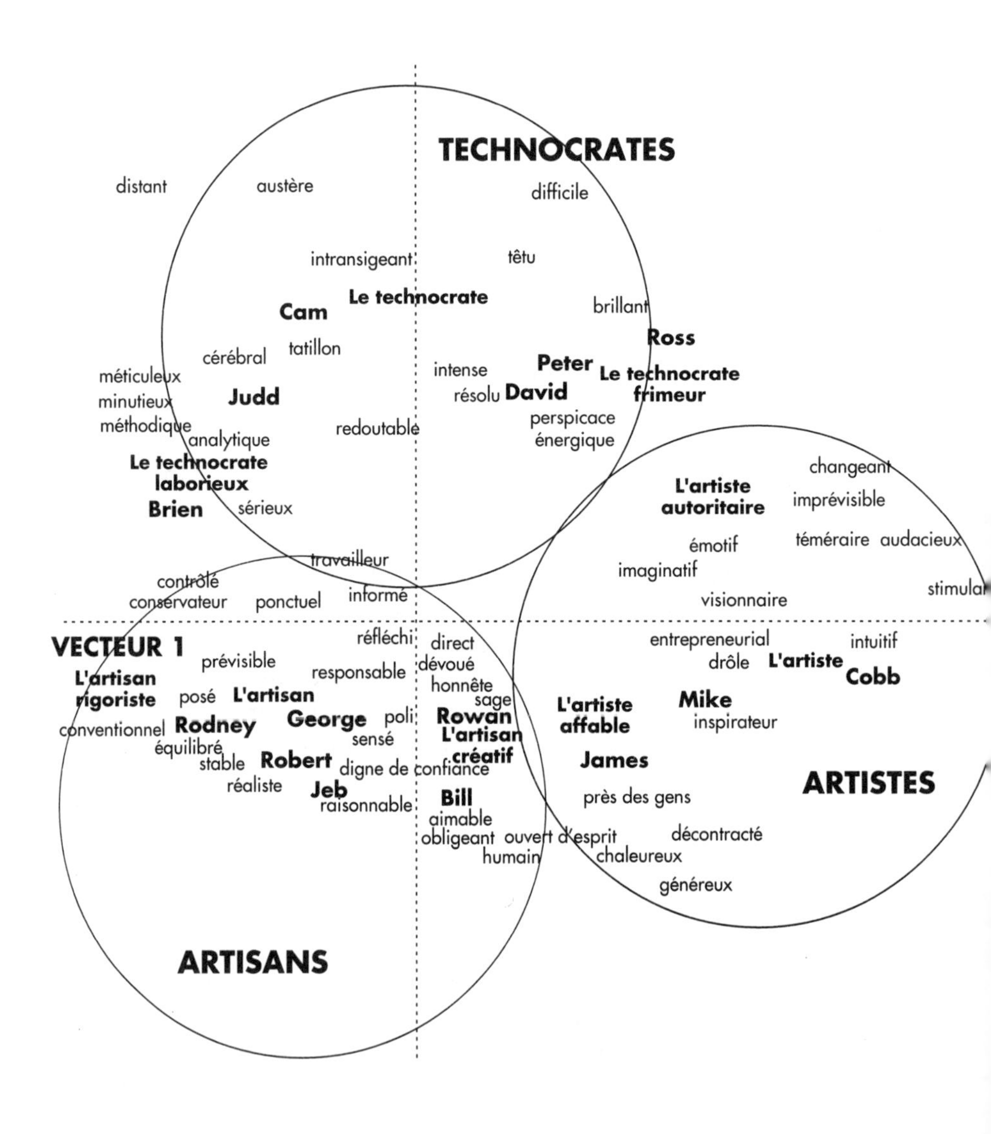

Références

Benzécri, J. P. et F., *L'Analyse des correspondances*, Paris, Dunod, 1980.

Fénelon, J.-P., *Qu'est-ce que l'analyse des données?* Paris, Lefonen, 1981.

Hogarth, R.M. et Makridakis, S., « Forecasting and Planning : An Evaluation », *Management Science*, vol. 27, nº 2, février 1981.

Kerlinger, F., *Foundations of Behavioural Research*, New York, Holt, Rhinehart and Winston, 1986.

Lebart, L., Morineau, A. et Warwick, K.M., *Multivariate Descriptive Statistical Analysis*, New York, John Wiley and Sons, 1984.

Miller, D., et Friesen, P., « Archetypes of Organizational Transition », *Administrative Science Quarterly*, vol. 25, juin 1980.

Overall, J.E. et Klett, C.J., *Applied Multivariate Analysis*, New York, McGraw-Hill, 1972.

Tversky, A. et Kahneman, D., « The Framing of Decisions and the Psychology of Choice », *Science*, vol. 211, janvier 1981.

Autres ouvrages de la collection Presses HEC

Imaginaire et Leadership, Laurent Lapierre
tome I (1992), tome II (1993), tome III (1994).

Dictionnaire de la gestion de la production et des stocks,
ACGPS/HEC (1993).

Piloter dans la tempête, Léon Courville (1994).

Prévoir l'économie pour mieux gérer,
Maurice N. Marchon (1994).

Histoire de l'École des Hautes Études Commerciales,
tome I : 1887-1926, Pierre Harvey (1994).

La Gestion des crises et des paradoxes,
Thierry C. Pauchant et Ian I. Mitroff (1995).

Le Pays en otage, Miville Tremblay (1996).

La Quête du sens, Thierry C. Pauchant et coll. (1996).

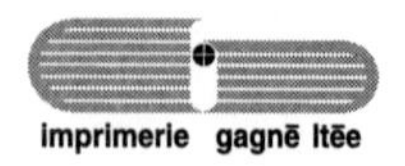
imprimerie gagné ltée

IMPRIMÉ AU CANADA